C000067795

Llyfrau Llafar

Llestri Llanelli

Donald M. Treharne

Llyfrau Llafar Gwlad
Golygydd y gyfres: Esyllt Nest Roberts

Argraffiad cyntaf: Awst 2002

ⓗ *awdur/Gwasg Carreg Gwalch*

Rhif Llyfr Safonol Rhyngwladol:
0-86381-788-2

Lluniau'r clawr: Donald M. Treharne

Cynllun clawr: Smala/Sian Parri

Argraffwyd a chyhoeddwyd gan Wasg Carreg Gwalch,
12 Iard yr Orsaf, Llanrwst, Dyffryn Conwy, LL26 0EH.
✆ 01492 642031
🖹 01492 641502
✆ llyfrau@carreg-gwalch.co.uk
lle ar y we: www.carreg-gwalch.co.uk

Cynnwys

Rhagair

Yn Eisteddfod Genedlaethol Llanelli 2000, fe'm gwahoddwyd gan y Pwyllgor Celf a Chrefft i draddodi darlith. Teitl y ddarlith oedd 'Llais Llestri Llanelli – Golwg ar Grochendy De Cymru 1839-1922'. Canlyniad y ddarlith yw'r llyfr hwn a diolchaf i Wasg Carreg Gwalch am ei diddordeb.

Nid yw'n amcanu bod yn llyfr holl gynhwysfawr am hanes a chynnyrch y crochendy ond yn hytrach golwg bersonol yw ar waith a chyfnod hynod o ddiddorol yn ne-orllewin Cymru. Ceisiwyd gosod y crochendy yn ei gyd-destun hanesyddol a diwydiannol o safbwynt crochenwaith y cyfnod. Ymgeisiwyd hefyd i wneud hyn drwy lygad Cymro Cymraeg. Gobeithiaf y bydd o ddiddordeb i'r darllenydd o Gymro sy'n ymddiddori yn y llestri a hanes cyfnod eu cynhyrchu. Y mae hefyd yn rhagarweiniad i'r testun i'r darllenydd cyffredin.

Bûm yn lloffa'n helaeth mewn sawl llyfr Cymraeg a Saesneg a hoffwn gydnabod hynny'n ddiolchgar. Gwelir rhestr ohonynt ar ddiwedd y gyfrol.

Ni fyddai'r ddarlith na'r llyfr wedi eu cwblhau oni bai am gefnogaeth ddiflino Nesta a Helen, fy ngwraig a'm merch. Cefais gymorth hefyd gan gyfeillion a rannodd eu gwybodaeth am y llestri a'r cefndir. Bu rhai ohonynt yn rhyfedd o garedig gan adael i mi dynnu lluniau llestri o'u casgliadau.

Pennod 1

Y cefndir

Cynhyrchwyd llestri Llanelli yng Nghrochendy De Cymru, Llanelli. Dyna yw'r ffurf Gymraeg ar enw'r gwaith ond cyfeirid ato'n ddieithriad yn Saesneg yn ei gyfnod, a hynny fel *The South Wales Pottery, Llanelly*. Hyd yn oed wrth siarad Cymraeg byddai trigolion Llanelli yn sôn am 'Y Potri'. Dieithriad hefyd oedd y ffurf Seisnig 'Llanelly' ar gynnyrch y crochendy.

Roedd Crochendy Llanelli yn un o sawl crochendy yn ne-orllewin Cymru. Yn y bedwaredd ganrif ar bymtheg, bodolai o leiaf chwech ohonynt yn y rhan hon o'r wlad. Er iddynt weithredu'n annibynnol ar ei gilydd fel busnesau, roedd rhwydwaith o gysylltiadau rhyngddynt o safbwynt cynnyrch, offer a phersonoliaethau. Mae cysylltiadau o'r fath hefyd yn ymestyn i gylch ehangach na de Cymru. Ni allai un o'r crochendai yn ne Cymru weithredu heb fod dan ddylanwad gweithfeydd eraill ym Mhrydain ac Ewrop. Enghraifft o'r dylanwad hwn yw eu cysylltiad â swydd Stafford a oedd, ac sydd o hyd, yn ganolfan bwysig i gynhyrchu crochenwaith. Daeth llawer o weithwyr swydd Stafford i weithio yng Nghymru – yn Abertawe a Llanelli. Prynwyd offer a phatrymau oddi yno hefyd ac mae tystiolaeth am gysylltiadau â gweithfeydd yr Alban.

Cyn symud at hanes y crochendy yn Llanelli, cyfeirir at ei gymdogion yn ne Cymru er mwyn gosod y gwaith yn Llanelli yn ei gyd-destun hanesyddol.

Crochendy'r Cambrian 1764-1870

Dyma'r gwaith pwysicaf yn Abertawe a bu'n gynhyrchiol am dros ganrif. Sefydlwyd y crochendy gan William Coles, gŵr busnes o Gastell-nedd, ar dir ar lan afon Tawe yn Abertawe. Bu'r tir yn waith copr cyn hynny. Yn 1802 daeth y crochendy'n eiddo i William Dillwyn a bu ei deulu'n gysylltiedig â'r gwaith tan i Lewis Llewelyn Dillwyn ei gau yn 1870.

Cysylltir y crochendy â'r porslen byd enwog ond er hynny llestri pridd oedd y prif gynnyrch. Yn ystod oes y crochendy gwnaethpwyd amrywiaeth toreithiog o lestri. Yn *Llun 1* gwelir enghraifft o blât a addurnwyd â throslun o long a wnaethpwyd yn y Cambrian rhwng 1836 ac 1850, yng nghyfnod perchnogaeth Lewis Llewelyn Dillwyn. Ystyrir hanes y crochendy a ysgrifennwyd gan E. Norton Nance (*The Pottery and Porcelain of Swansea and Nantgarw*, B. T. Batsford, 1942) yn glasur.

Llun 1 - Plât Llong o Grochendy'r Cambrian

Crochendy Morgannwg 1814-1838

Sefydlwyd y gwaith hwn hefyd yn Abertawe yn agos iawn i waith y Cambrian ar y Strand. Roedd y ddau grochendy mewn cystadleuaeth fasnachol. Cysylltir enw George Haynes â sefydlu Crochendy Morgannwg. Bu Haynes am gyfnod hir yn rhan o'r Cambrian ond wedi anghydfod rhyngddo a Lewis Llewelyn Dillwyn torrodd ei gysylltiad â'r crochendy hwnnw. Er na fu Haynes yn gyfranddaliwr yng Nghrochendy Morgannwg, ef oedd y pŵer y tu cefn i sefydlu'r fenter.

Cynhyrchwyd llestri pridd â throsluniau o safon uchel iawn yn y gwaith. Dywedir bod fersiwn Morgannwg o'r patrwm *Merched Llangollen* a welir yn *Llun 2* yn llawer gwell na'r un a ddaeth o'r Cambrian drws nesaf. Patrwm diddorol iawn yw hwn sy'n darlunio

6

dwy Wyddeles, y Fonesig Eleanor Butler a Miss Sarah Ponsonby a fu'n byw ym Mhlas Newydd, Llangollen rhwng 1780 ac 1829. Bu sôn am eu 'cyfeillgarwch rhamantus' a'i ensyniadau rhywiol yn destun siarad drwy Brydain gyfan ar y pryd.

Llun 2 - Hambwrdd Merched Llangollen *Crochendy Morgannwg*

Er y safon uchel daeth dyddiau blin ar Grochendy Morgannwg ac yn 1837 prynodd Lewis Llewelyn Dillwyn, perchennog y Cambrian, y gwaith a'i gau yn 1838. Roedd y weithred yn fodd i ddileu un gystadleuaeth fasnachol i'r Cambrian ond bu'n fodd i fwydo un arall o gyfeiriad Llanelli.

Yng nghyfnod cau Crochendy Morgannwg yn Abertawe roedd ymgais ar droed i sefydlu crochendy yn Llanelli, ddeg milltir i ffwrdd. William Chambers yr Ieuengaf oedd y diwydiannwr y tu cefn i'r fenter yn sir Gaerfyrddin ac ef a brynodd rai o beiriannau ac offer gwaith Morgannwg pan y'u gwerthwyd yn 1839.

Ond aeth mwy nag offer i Lanelli; symudodd rheolwyr a gweithwyr o Abertawe i Lanelli gyda blynyddoedd o brofiad, crefft, syniadau a gwybodaeth am batrymau. Bu eu cyfraniad yn llesol i'r gwaith newydd yn Llanelli ac yn gyfraniad pwysig i lwyddiant y fenter. Roedd eu presenoldeb yno'n enghraifft bellach o'r rhwydwaith a gysylltai'r crochendai yn ne-orllewin Cymru.

Crochendy Calland Glandŵr 1852-1856

Byrhoedlog iawn fu hanes gwaith Calland a'i gwmni yng Nglandŵr. Sefydlwyd y gwaith yn 1852 ar lannau afon Tawe yn agos i orsaf rheilffordd Glandŵr. Erbyn 1856 roedd wedi peidio fel crochendy a'r adeiladau wedi eu haddasu i ddibenion eraill.

Yn ystod mis Medi 1852 ymddangosodd sawl hysbyseb ym mhapur y *Cambrian* yn Abertawe yn cyfeirio at Grochendy Glandŵr, gan ddweud fod 'Y Crochendy, a sefydlwyd yn ddiweddar gan y Mri. Calland, yn awr yn gweithio gan gynhyrchu llestri pridd o bob math'. John Forbes Calland oedd y prif berchennog a James Hinckley oedd yr asiant. Bu Hinckley yn rheolwr yn y *Cambrian* yng nghyfnod perchnogaeth Lewis Llewelyn Dillwyn. Yn ddi-os, roedd y profiad hwnnw'n fuddiol i'r gwaith yng Nglandŵr. Ganed y fenter hon mewn amser anodd yn fasnachol ac o fewn pedair blynedd peidiodd fel busnes. Nid yw cefndir tranc y fenter yn hollol glir gan fod hysbysebion o'r cyfnod yn sôn am werthiant sylweddol i'r cynnyrch a bod rhesymau digonol eraill gan y perchennog dros ymddeol.

Llun 3 - Plât Sirius *Cwmni Calland, Glandŵr*
Cysylltir oes fer y crochendy yng Nglandŵr â chynhyrchu llestri o

bridd gwyn â phatrymau troslun. Yn sicr defnyddiwyd y patrymau *Syria, Sirius* a *Willow* gan Calland. Awgrymwyd hefyd iddo ddefnyddio'r *Rural*, a welwyd yn ddiweddarach yn Ynysmeudwy a Llanelli. Mae *Llun 3* yn dangos plât a addurnwyd â'r patrwm *Sirius* mewn troslun glas.

Mae *Llun 4* yn dangos cefn y plât yn *Llun 3* lle mae marc troslun y patrwm *Sirius*. O sylwi'n fanwl arno gwelir islaw'r troslun wasgfarc ar ffurf debyg i ddeigryn neu atalnod. Gwelwyd llawer o'r gwasgfarciau hyn ar deilchion llestri a ddarganfuwyd ar safle'r crochendy wrth gloddio yno yn saithdegau'r ugeinfed ganrif. Diddorol sylwi i Grochendy De Cymru yn Llanelli brynu platiau copr a ddefnyddiwyd i wneud y patrwm *Sirius* yng Nglandŵr. Gwelwyd enghreifftiau o *Sirius* a wnaethpwyd yn Llanelli lle dilëwyd y cyfeiriad at Calland ar y trosluniau gan adael enw'r patrwm yn unig. Enghraifft arall o'r cysylltiadau rhwng Crochendai De Cymru.

Llun 4 - Gwasgfarc plât Sirius *a'r gwasgfarc oddi tano*

Crochendy Stryd Dyfatty (Crochendy Pleasant Vale)
1843-1892

Sefydlydd Crochendy Stryd Dyfatty oedd William Mead o Ddyfnaint a fu'n gysylltiedig â chrochendai Indeo, Borey Heathfield a Folly yn Bovey Tracey. Yn ne Cymru mae hanes am bartneriaeth rhyngddo a William Wyatt yng nghrochendy bach Baglan ger Llansawel. Credir i Mead fod yn gysylltiedig â'r crochendy ym Maglan hyd at ei gau yn 1830. Yng Nghyfrifiad 1840 yn Abertawe disgrifir ei alwedigaeth fel 'crochenydd' a'r tebygrwydd yw iddo fod yn gweithio yn y Cambrian cyn sefydlu Pleasant Vale.

Bu'r gwaith yn gynhyrchiol am gyfnod hir a dywedir iddo fod yn gyfrifol am lestri a nwyddau o bridd coch i ddibenion diwydiant ac i'r gegin. Bu cynhyrchu mawr ar nwyddau megis piseri i gario dŵr. Yn y cyfnod deuai cyflenwad dŵr pobl yr ardal drwy bibellau ar y stryd a phistyll yn unig. Dywedir nad oedd yn anghyffredin i weld pistyll â chant a hanner o biseri mewn rhes o'i flaen yn aros i gael eu llenwi; felly, yr oedd galw am y math o grochenwaith a gynhyrchwyd yn y gwaith. Ychydig o hanes y crochendy sydd wedi ei groniclo ac nid oes sôn fod unrhyw ddarn a wnaethpwyd yno wedi ei farcio.

Crochendy Baglan 1821(?)-1830(?)

Tan yn ddiweddar ychydig iawn o gyfeiriadau a fu at y crochendy bach hwn. Nid yw'n bwysig o ran maint, ond eto, gan iddo gynhyrchu crochenwaith dylid ei restru. Yn y *Port Talbot Historian* (Cyfrol IV, rhif 2, 2000) dywed Clive Reed nas gwyddir pryd y sefydlwyd y gwaith ar dir yn agos i geg afon Nedd ond i'r crochendy fodoli cyn 1821. Ym mis Awst y flwyddyn honno ymddangosodd sylw yn y *Cambrian*, y papur lleol, am ddiddymu'r bartneriaeth rhwng William Wyatt a William Mead. Y ddau ŵr yma oedd yn gysylltiedig â'r crochendy ym Maglan. Dau grochenydd o Ddyfnaint oeddent a daethant â'u gwybodaeth a'u crefft o orllewin Lloegr i sir Forgannwg a Baglan.

Gwerthwyd y gwaith ar ôl 1828 ac yn 1830 symudodd William Mead i Abertawe. Yn ddiweddarach sefydlodd Grochendy Pleasant Vale y cyfeiriwyd ato uchod. Mae'r digwyddiad hwn eto yn brawf o'r rhwydwaith o gysylltiadau a fodolai rhwng crochendai'r ardal.

O'r teilchion a ddarganfuwyd ar safle'r crochendy, cesglir mai powlenni, platiau, hambyrddau, jygiau a chawgiau a wnaed yno.

Crochendy Ynysmeudwy 1845-1875

Fel crochendai Abertawe roedd Ynysmeudwy ar lan afon Tawe ac yn agos iawn i'r gamlas. Yno yn 1845 sefydlwyd gwaith cynhyrchu briciau gan ddau frawd o Wennap yng Nghernyw – Michael a William Williams. Tyfodd y gwaith o ran maint ac o ran amrywiaeth y cynnyrch. Erbyn 1850, ar wahân i friciau, pibellau pridd, teils to, addurniadau i'r ardd a photiau simnai roedd cynhyrchu sylweddol o nwyddau cartref. Ar y cyfan rhwng 1850 ac 1860, llestri â phatrymau troslun oedd y nwyddau cartref hyn. Ar brydiau cynhyrchwyd nwyddau wedi eu paentio â llaw ac ychydig wedi eu haddurno â lystar pinc.

Yn 1870 gwerthwyd y gwaith i W. T. Holland a oedd ar y pryd yn berchennog Crochendy Llanelli. Yn ystod cyfnod ei berchnogaeth ef yn Ynysmeudwy, symudodd yr offer a oedd yn ddefnyddiol o safbwynt cynhyrchu llestri i Lanelli. Trafodir canlyniadau hyn ar gynnyrch Llanelli yn fanylach ym mhennod 4. Wedi symud offer i Lanelli dychwelodd Ynysmeudwy, ar y cyfan, i fod yn waith cynhyrchu briciau ac ati. Daeth diwedd hyd yn oed ar hynny yn 1875. Mae *Llun 5* yn dangos plât a wnaethpwyd yn Ynysmeudwy. Addurnwyd y plât â throslun gwyrdd o'r patrwm *Rio*.

Llun 5 - Plât Rio *Ynysmeudwy*

11

Pennod 2

Sefydlu Crochendy De Cymru

Un o adeiladau hanesyddol pwysicaf Llanelli yw'r adeilad mawr sy'n wynebu eglwys y plwyf yng nghanol y dref. Tŷ Llanelli yw hwn a chyfeirid ato ar hyd y blynyddoedd fel Plas Llanelli neu'r Tŷ Mawr. Bu un amser yn gartref i deulu'r Stepney – bonheddwyr a thirfeddianwyr pwysig yn yr ardal. Codwyd yr adeilad presennol gan Syr John Stepney ar safle hen blasty a daeth y teulu i fyw yno yn 1714. Mae'r dyddiad hwn i'w weld ar y pibellau dŵr haearn ar flaen y tŷ hyd heddiw.

Roedd gerddi eang i'r tŷ yn y ddeunawfed ganrif a dywedir bod lôn goed yn ymestyn o'r tŷ i Blas Machynys yng ngolwg y môr. Teulu Stepney oedd perchnogion Plas Machynys hefyd yn ôl Thomas Lloyd, awdur *The Lost Houses of Wales*. Mae prif heolydd canol tref Llanelli heddiw ar dir gerddi'r Tŷ Mawr.

Erbyn dechrau'r ugeinfed ganrif roedd y Plas yn Llanelli wedi peidio â bod yn gartref i'r teulu, er ei fod yn rhan o'r stad o hyd. Mewn dyddiadur a gyhoeddwyd yn 1901 mae un o'r teulu – yr Arglwyddes Margaret – yn sôn am y tŷ (yn Saesneg, wrth gwrs):

Cyferbyn â'r Eglwys mae hen dŷ teulu Stepney, cartref y Stebonheathiaid o Stebonheath sef hen ffurf at yr enw Stepney. Mae'n aros o hyd ac y mae iddo bibellau dŵr hardd wedi eu haddurno ag arfbais teulu Stepney, ond gwae! gwae! Mae'r cyfan wedi ei droi'n siopau a swyddfeydd ac y mae'r ardd brydferth â'r ferwydden enwog a'r parc hyfryd a oedd yn ymestyn i lawr i'r môr yn adeiladau i gyd.

Mae'r tŷ ar ei draed o hyd ac mae olion ysblander oes a fu i'w gweld yn nenfydau'r ystafelloedd, y pibellau dŵr haearn y tu allan ynghyd â'r addurniadau ar y to. Erbyn heddiw mae'n eiddo i Gyngor Tref Llanelli. Yn ddiweddar bu'n gartref i Swyddfa Eisteddfod Genedlaethol Llanelli 2000. Y bwriad gan y cyngor i'r dyfodol yw addasu'r adeilad yn ganolfan i'r celfyddydau gydag oriel i arddangos gwaith artistiaid lleol.

Llun 6 - Tŷ Llanelli

Y Tŷ Mawr hwn fu'n gartref i William Chambers yr Ieuengaf – sefydlydd Crochendy De Cymru yn Llanelli. Daeth yno gyda'i dad yn 1827, pan oedd yn ddeunaw mlwydd oed. William oedd enw'r tad hefyd a chyfeirid at y tad fel William Chambers yr Hynaf.

Llun 7 - William Chambers yr Ieuengaf, sefydlydd Crochendy De Cymru (Llun: Llyfrgell Genedlaethol Cymru)

Olrheiniodd Constance, un o ferched Chambers yr Ieuengaf, hanes ei theulu yn ôl at Abraham Chambers (1646-1694) yn swydd Caint yn ne-ddwyrain Lloegr. Yno, ar Stad Bicknor, roedd William Chambers yr Hynaf (1773-1855) yn byw cyn dod i Lanelli.

Mae niwl yr oesau dros rai o'r ffeithiau am ei fywyd ond yn sicr yr oedd yn ysgolhaig clasurol a raddiodd yng Ngholeg Sant Ioan, Caergrawnt. Tra oedd yn teithio ar y cyfandir dechreuodd rhyfel rhwng Lloegr a Ffrainc ac fe'i cymerwyd gydag eraill yn wystlon a'u carcharu am ddeuddeg mlynedd yn Valenciennes yng ngogledd Ffrainc.

Yn gyd-garcharor ag ef yn Ffrainc roedd Syr John, wythfed Barwnig Stepney o Lanelli. Yn 1802 gwnaeth Syr John, a oedd yn ddi-briod, ewyllys gan adael ei ystad nid i'w frawd Syr Tomos a theulu Stepney ond i dri o'i ffrindiau. Os byddai i'r rhain farw heb etifeddion, gadewid y stad i dri arall o'i ffrindiau. Y trydydd o'r drindod olaf, ac ar waelod y rhestr, roedd William Chambers yr Hynaf. Pe bai Chambers yr Hynaf farw heb etifeddion cyfreithlon, byddai'r rhan fwyaf o'r stad yn dychwelyd i ofal teulu Stepney.

Wedi cyfres o gyd-ddigwyddiadau rhyfedd, bu farw'r pum cyfaill, felly Chambers yr Hynaf yn unig a etifeddodd stad Stepney. Bu hwn yn ofid mawr i deulu'r Stepney ac yn broblem barhaol i deulu Chambers.

Ganed William Chambers yr Ieuengaf yn Valenciennes yn Ffrainc. Wedi ymchwil gan Helenor G. Barron M.A., yr Hendy, mae copi o dystysgrif ei enedigaeth ar gael yn Ffrangeg. Mae'n sôn am eni plentyn i William Chambers 'am wyth o'r gloch fore'r 24ain o Fai 1809 a bod ei wraig Jane Emma Adams, 22 mlwydd oed a aned yn Jamaica yn datgan ei bod am enwi'r baban yn William'. Mae'r gwreiddiol yn cyfeirio at Jane Emma Adams fel *'son epouse'* – ei wraig.

Llun 8 - Rhan o gopi o Dystysgrif geni William Chambers yr Ieuengaf

Roedd y Côd Napoleonaidd a fodolai ar gyfraith a chofrestru yn Ffrainc ar y pryd yn mynnu manylder. Y tebygrwydd felly yw bod y rhieni yn ŵr a gwraig cyfreithlon fel ag yr oedd y plentyn o'r briodas – yn Ffrainc. Wedi cyfreithia di-ben-draw rhwng teuluoedd Stepney a Chambers yn y wlad hon, penderfynodd y llysoedd nad oedd William Chambers, y mab, yn blentyn cyfreithlon ym Mhrydain am nad oedd priodas ei rieni yn ddilys. Ym Mhrydain hawliodd deddf Hardwicke (1754) fod rhaid cynnal priodas o flaen offeiriad Anglicanaidd os oedd i fod yn briodas ddilys yn y wlad. Ni wnaethpwyd hynny gan Chambers yr Hynaf a Jane Emma Adams. Oherwydd hyn ni allai Chambers yr Ieuengaf etifeddu stad Stepney wedi dyddiau ei dad. Bu'r ffaith hon yn allweddol yn hanes Crochendy De Cymru a sefydlwyd ganddo.

Addysgwyd William Chambers yr Ieuengaf yn Eton ac yna, fel ei dad, yng Ngholeg Sant Ioan, Caergrawnt ond nid oes sôn iddo raddio yno. Yn Llanelli yr oedd, eto fel ei dad, yn bwysig ac yn weithgar ym mywyd cyhoeddus y dref. Roedd y ddau ohonynt yn ynadon. Fel ynad roedd yn rhaid i Chambers weithredu i gynnal y gyfraith. Yn aml, gosodai hyn ef mewn sefyllfa anodd. Fel perchennog busnes nid da oedd ganddo'r syniad o dalu tollau i symud nwyddau i'w grochendy. Eto, fel ynad, roedd yn rhaid iddo gynnal y gyfraith a gwnaeth hynny bob tro yr oedd rhaid.

Mae ei gysylltiadau â helyntion Beca yn niferus ac ynddynt nid anwylodd ei hun i'r garfan hynny o'r bobl a oedd yn gefnogol i'r terfysgwyr. Cymaint oedd yr adwaith yn ei erbyn nes i Chambers feddwl symud o Lanelli ond ni wnaeth hynny yn y cyfnod hwnnw. Roedd carfan o blaid yr ynad serch hynny a chyflwynwyd tysteb iddo yn 1844 gan drigolion Llanelli a'r cylch 'am iddo helpu i gynnal y Gyfraith a'r Drefn Gymdeithasol'.

Ymhlith y papurau yn yr archifdy yng Nghaerfyrddin sy'n ymwneud â helyntion Beca mae 25 pennill dan y pennawd 'Penillion i amddiffyn Mr Chambers, ac erfyniad arno i aros yn Llanelli'. Dyfynnir tri ohonynt isod:

Chwychwi mewn swyddogaeth fel Ustus yr heddwch
Dybyniol yw arnoch i gadw tawelwch;
Paham yn eich erbyn bydd cynnen yn berwi
Am geisio'n ddiffuant wir lesiant Llanelli?

Pan ddaethoch hyd attom y dref a adfywiodd,
Gweithfeydd a agorwyd, a masgnach a ledodd,
Adeilad aeth rhagddo, a thai wnawd yn rhesi,
Mae'r gwelliant yr awr hon i wel'd yn Llanelli.

Hyderwyf yr awron pe iawn ddealldwriaeth
Gymmeraf le rhyngoch a gwyr eich cym'dogaeth,
Y ca'ech fod gweddillion hen serchedd yn berwi
A'r llais cyffredinol 'Na edwch Llanelli'.

Ceir y dyddiad 'Hydref 5ed, 1843' ar y penillion a'u priodoli i
awduraeth 'Deiliad'.

Er ei geidwadaeth anorfod wrth gynnal y gyfraith, dengys y
penillion ochr arall i bersonoliaeth Chambers. Cyfeirir at ŵr a fu'n
llesol i Lanelli yn gymdeithasol ac yn fasnachol. Dyma'r gŵr a
roddodd les ar dir o'i eiddo i godi capel Annibynnol Saesneg y Parc
yn 1839. Capel a godwyd dan ddylanwad David Rees, gweinidog
cyntaf Capel Als, er mwyn creu cynulleidfa Saesneg oedd hwn. Yn
ddiweddarach, aeth llawer o weithwyr y crochendy a ddaeth o Loegr
i addoli yno.

Roedd yn ddigon radicalaidd i sefydlu Cymdeithas Ddiwygio
(Reform Society) yn y dref. Yn 1850, penodwyd ef yn gadeirydd cyntaf
Bwrdd Iechyd Llanelli. Mewn termau modern mae hyn yn cyfateb i
swydd maer. Priododd Joanna Payne yn 1835 yn eglwys y plwyf,
Llanelli a ganed pedwar ar ddeg o blant iddynt. Roedd un o'r plant –
Charles Campbell Chambers – yn gadeirydd clwb rygbi Abertawe yn
1875 ac ef oedd llywydd cyntaf y sefydliad a oedd yn rhagflaenydd i
Undeb Rygbi Cymru.

Tra bu Chambers yr Ieuengaf yn Llanelli bu'n brwydro'n barhaus
â theulu Stepney ynghylch y stad. Bu'r frwydr yn un gostus iawn i
Chambers, yn fodd i'w gloffi'n ariannol ac i'w chwerwi. Yn y diwedd
collodd y rhan fwyaf o'r stad ond cadwodd ei afael ar y crochendy
hyd tua 1868. Bu farw Chambers yr Hynaf yn 1855 yn Llanelli ac
mewn llai na blwyddyn symudodd y mab a'r teulu i blasty'r Hafod yn
Aberystwyth. Pan ymadawodd Chambers â Llanelli, talwyd teyrnged
ddibrin iddo yn *Y Diwygiwr* yn 1856 gan David Rees, gweinidog Capel
Als. Yn y deyrnged roedd y geiriau hyn:

Y mae yn Eglwyswr; ond yn ormod o ddyn o lawer i ddisgwyl i

Jwg Amser Te (â wyneb cloc) o lystar aur (gweler hefyd Llun 11).

Jwg Raglan *â lliw yng nghorff y clai (gweler hefyd Llun 18).*

Llun Lliw 1

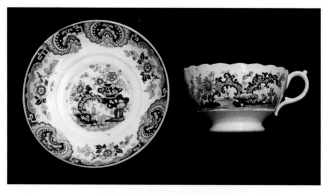

Cwpan a soser Japan *(gweler hefyd Llun 23).*

Cwpan a soser Bombay Japan.

Cwpan a soser Woodbine.

Llun Lliw 2
Llestri a addurnwyd â phaentio troswydredd

Jwg wythochrog o gyfnod Chambers a addurnwyd yn llawrydd (gweler hefyd Llun 21).

Jwg Bombay Japan *â dolen sarff o gyfnod Chambers gydag addurno troswydredd arni (gweler hefyd Llun Lliw 2).*

Jwg Nautilus *o gyfnod Coombs a Holland gydag arysgrifen ac addurno troswydredd arni (gweler hefyd Llun 42, 43).*

Llestri Rhosyn Persia *o gyfnod Guest a Dewsberry wedi'u haddurno'n llawrydd.*

Llun Lliw 3
Llestri a addurnwyd â gwaith llaw

Basn ymolchi Oriental *(gweler hefyd Llun 29).*

Hambwrdd Amherst Japan.

Plât Whampoa.

Llun Lliw 4

Llun Lliw 5
Ceiliogod Llanelli

Llun Lliw 6
Enghreifftiau o Lestri Shufflebotham a addurnwyd â ffrwythau a blodau.

Llun Lliw 7
Llestri Shufflebotham yn dangos ffrwythau a blodau.

Llun Lliw 8
Platiau a addurnwyd gan Sufflebotham.

neb pwy bynnag i wneud aberth o'i egwyddorion i'w fodloni ef ... Yr oedd bob amser o'r un tu a minnau am bethau gwladol... Ni wnaeth neb fwy dros addysgiaeth nag ef, a honno yn addysgiaeth rydd... Yr unig fai glywsom ef yn edliw i'r Cymro ydyw, diffyg gwroldeb moesol.

Bu Chambers yr Ieuengaf farw mewn gwallgofdy yn Llansawel, ger Castell-nedd yn 1882, yn 72 mlwydd oed. Wrth groniclo ei farwolaeth dywedodd y *Llanelly Guardian* iddo 'garu Llanelly'n annwyl'. Y dyn enigmatig, amlochrog hwn a sefydlodd yn Llanelli y crochendy a fu'n rhan annatod o wead cymdeithasol a diwydiannol y dref am fwy na phedwar ugain mlynedd.

Mae dyddlyfr ar gael sy'n ymwneud â gweithgareddau'r crochendy rhwng Mehefin 1839 ac Ebrill 1840, hynny yw, cyfnod adeiladu a sefydlu'r crochendy yn Llanelli. Yn y dyddlyfr cawn ddarlun o Chambers fel gŵr busnes ei gyfnod a'i fryd ar gadw costau'n isel a mynnu cael dim llai na'r gorau o'i weithwyr. Amlygir hyn yn yr enghreifftiau canlynol o gyfarwyddiadau Chambers i oruchwyliwr gwaith y crochendy:

Y mae'r seiri a'r seiri melinau i weithio wrth olau cannwyll hyd at chwech o'r gloch yn ystod y dyddiau byr. Gwnewch yn siŵr eu bod yn gofalu am y canhwyllau.

Dywedwch wrth y seiri sy'n gadael eu gwaith cyn pump o'r gloch ar nos Sadwrn na fydd eu heisiau fore Llun.

Geiriau sy'n tanlinellu agwedd haearnaidd cyflogwr Fictorianaidd yw geiriau felly.

Nid oes dim o olion y crochendy i'w gweld yn y dref heddiw ond mae dwy stryd o dai yno o hyd sy'n dystiolaeth i'w fodolaeth. Cododd Chambers 56 o dai i weithwyr y crochendy yn Pottery Place ac yn Pottery Row (a elwir heddiw yn Stryd y Crochendy). Gweithred sy'n dangos gwedd arall i Chambers ac sy'n amlygu ei gydwybod gymdeithasol.

Gwelir y pwyslais ar fudd cymdeithasol yng ngwneuthuriad y tai. I bob tŷ roedd 240 llath sgwâr o ardd y tu cefn iddo. Anogwyd y deiliaid i drin y tir a chodi cynnyrch i'w teuluoedd. Adeiladwyd ceudai (toiledau) a charthbyllau y tu ôl i'r tai. Oherwydd y carthbyllau, ni halogwyd dŵr yfed y tai gan garthion. Bu'r ffaith yma'n allweddol i arbed trigolion y ddwy stryd rhag effeithiau pla y colera yn 1850 a niweidiodd gymaint ar weddill poblogaeth Llanelli ar y pryd.

Roedd agwedd gymdeithasol oleuedig Chambers yn cyferbynnu â'r driniaeth lem – ond eto'n deg – a dderbyniai gweithwyr ei grochendy.

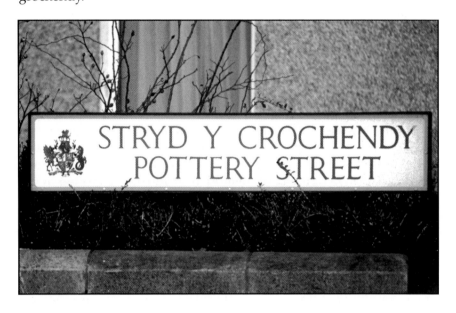

Llun 9 - Stryd y Crochendy

Mae'r strydoedd hyn ar eu traed o hyd ond bellach maent yn gwisgo dillad cyfoes megis yr arwyddion ar y palmant (gweler *Llun 9*). Mewn cyd-destun modern safodd y crochendy yn agos i'r arwydd yn y llun, yn agos i'r lle saif siop *Asda* heddiw.

Wrth drafod hanes y crochendy rhaid dweud mai gweledigaeth William Chambers a symbylodd ei sefydlu. Mae'n debyg i Chambers sylwi y byddai llawer ffactor o'i blaid. Roedd tref Llanelli yn dref glan môr ac roedd dociau eisoes wedi eu sefydlu i wasanaethu'r gweithfeydd glo a chopr. Roedd tanwydd i odynau'r crochendy newydd ar gael yn lleol. Roedd modd mewnforio'r nwyddau crai a ddefnyddid i wneud llestri, megis clai o Gernyw a de-orllewin Lloegr a fflint o Ffrainc. Byddai'r hwylustod hwn hefyd yn fodd i allforio cynnyrch y gwaith – clai o Gernyw, llestri i Gernyw.

Yn 1835 roedd Cwmni Rheilffordd a Dociau Llanelli yn rhedeg trenau glo ac yn datblygu trenau teithwyr. Roedd cyflwr y ffyrdd i drafnidiaeth fasnachol y cyfnod yn datblygu hefyd, er i ddollau'r ffyrdd tyrpeg fod yn un o'r lliwiau yn enfys helyntion Beca.

Roedd poblogaeth yr ardal yn cynyddu. Ar ddiwedd y ddeunawfed ganrif roedd llai na mil o bobl yn byw yn Llanelli. Yn y cyfrifiad swyddogol cyntaf yn 1801, roedd y boblogaeth yn 2,972; yn 1831, roedd 7,646 o bobl yn byw yno. Erbyn cyfrifiad 1841, cynyddodd y ffigwr i 11,155.

Ar wahân i'r ffactorau lleol a oedd yn ffafriol i'w fenter, roedd Chambers yn ŵr llawer rhy graff i beidio â sylwi ar gyflwr blin Crochendy Morgannwg yn Abertawe gyfagos. Â'r haul yn machlud ar y gwaith hwnnw, gwelodd fwy na chyflenwad o weithwyr i'w grochendy newydd – gwelodd ffrwd o grefft, profiad a gwybodaeth fanwl o fyd crochenwaith yn llifo i'w fenter. A dyna a ddigwyddodd yn hanes Llanelli. Nid oedd symud o grochendy i grochendy yn ddieithr i weithwyr y cyfnod a daeth nifer o deuluoedd, nid yn unig o Abertawe ond hefyd o ffatrïoedd yn swydd Stafford i weithio yno. Yn y rhestrau o gytundebau gweithwyr cynnar y ffatri mae sawl un â'i enw'n amlwg Saesnig megis William Henshall, Mountford Rathbone, Thomas Radcliffe, Richard Guest, Mary Ann Wedgwood a llawer mwy. Ond y mewnfudwr pwysicaf, heb os, oedd William Bryant a aned ym Mryste. Cyn dod i Lanelli bu'n gweithio yn Abertawe am chwe mlynedd ar hugain, yn y Cambrian yn gyntaf ac yna symudodd i Grochendy Morgannwg lle bu'n asiant i'r cwmni. Yn ei lyfr dywed E. Morton Nance:

Bu Bryant yn fodd i ddenu cnewyllyn o gynweithwyr Crochendy Morgannwg i Lanelli ac i ychwanegu at y rhif hwn â gweithwyr lleol; a chan ei fod yn gyfarwydd iawn â chysylltiadau masnachol yr hen sefydliad, a hefyd cysylltiadau Crochendy Cambrian lle y bu'n gweithio, ni chafodd drafferth i gael gafael ar archebion digon mawr i sicrhau cychwyniad llwyddiannus i'r cwmni newydd.

Daeth Bryant â rhagor na'i ddoniau busnes gydag ef i Lanelli; daeth â'i wybodaeth fanwl o gyfrinachau cynhyrchu llestri. Cymaint oedd parch Chambers at werth profiad a gwybodaeth Bryant nes iddo osod cyfrifoldeb rhedeg y gwaith o ddydd i ddydd yn gyfangwbl ar ei ysgwyddau.

Bryant oedd yn gyfrifol am ansawdd ardderchog cynnyrch cynnar y crochendy yn Llanelli ac ni ellir mesur maint ei gyfraniad i'r fenter newydd. Yn rhyfedd ddigon, ni arhosodd yn hir yn Llanelli ac ar ôl ychydig o flynyddoedd dychwelodd i Fryste lle bu farw yn 1867.

Mae hanes datblygiad y crochendy yn rhannu'n daclus iawn i dri chyfnod:

1. Cyfnod y sefydlydd, William Chambers yr Ieuengaf, o 1839 i 1855.
2. Cyfnod Charles William Coombs a William Thomas Holland, o 1855 i 1875.
3. Y cyfnod o 1877 i 1922 pan oedd Richard Dewsberry a David Guest a'u teuluoedd yn gysylltiedig â'r lle.

O safbwynt eu hanes ac o ran amrywiaeth y cynnyrch, roeddent oll yn gyfnodau diddorol. Manylir ar yr agweddau hyn yn y penodau dilynol.

Pennod 3

Y cyfnod cyntaf
Cyfnod William Chambers yr Ieuengaf, 1839-1855

Wedi gorffen y gwaith adeiladu, roedd y crochendy yn fusnes gweithredol a llwyddiannus erbyn 1842. Yn y flwyddyn honno darparwyd cinio gan Chambers i weithwyr y crochendy yn y *Ship and Castle*, a elwir heddiw yn *Stepney Hotel*. Rheolwr y gwaith, William Bryant oedd yn llywyddu. Rhannwyd y dynion rhwng dwy ford – un i'r llymeitwyr a'r llall i'r llwyrymwrthodwyr a yfai lemonêd.

Croniclwyd hanes y cinio mewn rhifyn o'r *Cambrian* – papur newydd a gyhoeddwyd yn Abertawe. Mae araith Bryant i'r gweithwyr yn ddiddorol o safbwynt y crochendy ac o safbwynt hanes cymdeithasol y cyfnod. Dywedodd bod y rhagolygon i'r crochendy yn ffafriol dros ben a phetai'n parhau felly byddai Mr Chambers yn barod i ymestyn y gwaith nes ei fod o'r 'un maint â thref Llanelli ei hunan'. Roedd Bryant yn ffyddiog fod y gwaith mewn cyflwr addawol a chyda cydweithrediad y gweithwyr gallai hynny barhau i'r dyfodol, er budd y cyflogwr a'r gweithwyr. Anogodd y gweithwyr i gynilo ac i brynu tai eu hunain. Roedd 'eu meistr da', William Chambers, yn benderfynol o gynorthwyo ei weithwyr i wneud hyn. Anogodd y llymeitwyr yn eu plith i feddwl am lwyrymwrthod os oedd y ddiod yn amharu ar eu gwaith. Mae'r gri ddirwestol hon yn adlais o ymgyrchu'r mudiad dirwest a oedd ar gynnydd yn y wlad ar y pryd.

Wrth ddarllen yr adroddiad yn y *Cambrian* mae dyn yn synhwyro fod y crochendy erbyn hyn yn fusnes ymarferol, byw, iach a'i reolaeth mewn dwylo cadarn.

Gydag un eithriad cyfyngwyd cynnyrch y crochendy i lestri pridd o amrywiaeth mawr. Roedd y rhan fwyaf ohonynt at ddefnydd y cartref ond gwnaethpwyd penddelwau, cawgiau a nwyddau addurniadol hefyd. Er y pwyslais ar yr ymarferol roedd y cyfnod cyntaf hwn hefyd yn gyfnod o arbrofi. Gwelwyd arwyddion o'r arbrofi mewn tri maes:

- ym myd porslen
- gyda lystar
- wrth ddefnyddio lliw yng nghorff clai y llestri

Porslen yn Llanelli

Nid yn Abertawe a Nantgarw yn unig y gwnaethpwyd porslen yng Nghymru. Cynhyrchwyd ychydig bach yn Llanelli hefyd. Tua 1920 darganfuwyd nifer o blaciau porslen heb eu gwydro. Gan ddefnyddio'r hanfod y gellir gweld golau drwy borslen, cynlluniwyd y placiau hyn fel tryloywderau *(transparencies)* mewn mwy nag un dimensiwn. Gelwir hwy yn lithoffaniau ac maent yn gelfydd tu hwnt o ran gwneuthuriad. Dywedodd y *Western Mail* ar y pryd eu bod 'o'r safon gorau – cystal mewn ansawdd â gorau Nantgarw ac Abertawe'. Dywedir i'r gweithiwr a fu'n gyfrifol am y lithoffaniau yn Llanelli symud i Belleek yn Iwerddon a bod lithoffaniau Belleek yn debyg iawn i'r hyn a gynhyrchwyd yn Llanelli. Nid oes sicrwydd am y damcaniaethau hyn ac ni roddwyd rhesymau drostynt.

Yn arddangosfa llestri Llanelli ym mhlasty Parc Howard yn Llanelli, mae sawl enghraifft o'r trysorau hyn. Bwriadwyd iddynt fod yn blaciau addurniadol wedi eu goleuo o'r cefn. Mae un enghraifft ym Mharc Howard wedi'i fframio mewn modd y gellid ei ddal yn y llaw yn erbyn golau i weld gogoniant a cheinder yr olygfa borslen. Mae

Llun 10 – Manylyn o lithoffan

22

Llun 10 yn dangos manylyn lithoffan ac fe welir ansawdd manwl a choethder ei wneuthuriad.

Ar wahân i'r lithoffanau, nid oes enghreifftiau eraill o lestri porslen y gallwn ddweud gyda sicrwydd iddynt gael eu cynhyrchu yn Llanelli.

Lystar yn Llanelli

Gwraidd y gair lystar yw'r gair Lladin *lustrare* sy'n golygu 'i wneud yn llachar'. Ceir yr effaith ddisglair, lachar yma ar grochenwaith a all fod yn bridd neu'n borslen. Nid crochenwaith yw lystar felly, ond effaith addurnedig arno.

Y mae dau fath o broses lystareiddio i'w cael. Mae'r cyntaf yn mynd yn ôl i hen, hen hanes y Dwyrain Canol ac i'r drydedd ganrif ar ddeg yn Sbaen. Wrth ddefnyddio'r broses hon, mae'r lystar yn gynwysedig yng ngwneuthuriad y gwydredd a osodir ar y llestr. Bydd y llestr a orchuddid â chymysgedd o wydredd a lystar yn cael ei danio mewn odyn. Wedi ei danio ceir effeithiau addurnedig rhyfedd ond anghyson. Ni ddefnyddir y broses hon heddiw ac eithrio gan grochenwyr stiwdio modern.

Yr ail ffurf ar y broses yw defnyddio metel wedi ei doddi mewn asid, ei gymysgu ag olewau a gosod y gymysgedd yn haen denau dros lestr wedi ei wydro. Wedyn bydd y llestr yn cael ei danio eto; mae hyn yn ocsideiddio'r toddiad gan roi gorchudd disglair, caled dros ei wyneb. Mae amrywiaeth o dechnegau yn seiliedig ar yr egwyddorion hyn. Bydd lliw y lystar gorffenedig yn dibynnu ar y metel neu fetelau a ddefnyddir a hefyd ar liw corff y clai yn y llestr. Yn fras ceir:

- lystar pinc o ddefnyddio aur ar gefndir gwyn
- lystar aur neu gopr o ddefnyddio aur ar gefndir tywyll
- lystar arian wrth ddefnyddio platinwm
- lystar oren wrth ddefnyddio haearn

Gan amlaf lystar copr/aur a welir ar lestri Llanelli, hynny yw, cymysgedd aur ar lestri pridd tywyll. Yn fwy aml na dim mae'n lystar gwan, arwynebol ac weithiau mae'n ymddangos fel petai'r broses o lystareiddio heb lwyddo. Yn aml nid oes olion o lystar o gwbl a cheir lliw brown pŵl ar y llestri. Er hyn, mae ambell enghraifft o lystar o ansawdd da.

Eithriad prin iawn yw gweld lystar pinc ond fe'i defnyddiwyd yn y crochendy. Enghraifft o hyn yw'r jwg a werthwyd mewn arwerthiant yng Nghaerfyrddin ar 23ain Ebrill, 2002 ac a ddangosir ar dudalen 33 o gatalog yr arwerthiant hwnnw. Addurnwyd y jwg, sydd o'r siâp sy'n nodweddiadol o Grochendy Morgannwg, â phaentio gwaith llaw troswydredd. Yn ychwanegol i hyn aroleuwyd yr addurno ynghyd â'r mowldio ar y pig â lystar pinc.

Yng nghasgliad llestri Llanelli Parc Howard mae dwy jwg lystar copr â wyneb cloc ar un ochr a golygfa ar yr ochr arall. Trosluniau yw'r golygfeydd. Mae llyfr safonol ar lystar a gyhoeddwyd yn ddiweddar yn eu disgrifio fel 'Dwy jwg â lystar copr drostynt â golygfeydd o Abaty Castell-nedd ar un ochr ynghyd â throsluniau o wyneb cloc yn cynnwys llofnod William Chambers yr Ieuengaf fel rhan o'r print yr ochr arall'. Nid yw hyn yn fanwl gywir ac efallai fod y disgrifiad yn deillio o ddisgrifiad Dilys Jenkins yn y llyfr cyntaf a ysgrifennwyd am lestri Llanelli (*Llanelli Pottery*, DEB Books, Abertawe 1968). Ni chafodd y jygiau lystar hyn eu disgrifio'n fanwl gywir erioed er bod yr awduron diweddaraf yn dod yn nes at gywirdeb trwyadl.

O sylwi ar wyneb y cloc yn *Llun 11* gwelir mai pedwar o'r gloch yw hi arno. Yr enw ar y llestr yw Wm. Chambers ac nid Wm. Chambers

Llun 11 - Jwg Amser Te yn dangos wyneb cloc.

Llun 12 - Jwg lystar o swydd Stafford.

yr Ieuengaf. Mae'n wir bod William Chambers yr Ieuengaf yn farc llawer mwy cyffredin ar lestri'r cyfnod ond nid dyna sydd ar y jygiau. Nid oes cyfeiriad at ieuafiaeth Chambers.

Ychydig flynyddoedd yn ôl bûm mewn tŷ yng Nghwm Tawe ac wedi yfed y te croeso yn y parlwr bu'n rhaid mynd i'r gegin a chael fy nhywys ar hyd silffoedd y seld a'i thrysorau. Wrth fynd o un llestr i'r llall gwelais jwg a wyneb cloc arni ac meddai meistres y tŷ wrthyf 'Ydych chi'n gwpod beth yw honna?' Roeddwn yn gwybod yn iawn ond yn lle datgelu hynny dywedais 'Dwedwch chi wrtho i amdani'. Gan droi ataf, meddai ag awdurdod, 'Honna, 'machgen i, yw'r Jwg Amser Te'.

Wel ie, wrth gwrs, mae pedwar o'r gloch yn amser te ac mae'n ddisgrifiad annwyl iawn o'r jwg. Byddai'n hyfryd o beth petai jwg o'r fath bellach yn cael ei hadnabod fel 'Y Jwg Amser Te' sy'n ddisgrifiad llawer mwy byw na 'Jwg ag wyneb cloc arni'. Efallai y gallem bwyso ar ein cyfeillion Saesneg eu hiaith i ddweud *The Teatime Jug* hefyd.

Felly, ar wahân i lofnod William Chambers, nodwedd arall sy'n perthyn i'r jygiau yw pedwar o'r gloch ar yr wyneb. Gwnaethpwyd jygiau lystar tebyg mewn crochendai eraill ym Mhrydain. Mae'n debyg mai yn swydd Stafford y gwnaethpwyd y jwg yn *Llun 12*. Nid jwg amser te yw hon ond jwg amser brecwast neu amser swper efallai. Gwelwyd amserau eraill ar lestri tebyg. Sylwer hefyd bod y rhifolion ar wyneb y cloc o swydd Stafford yn rhifolion Rhufeinig. Ar y Jwg Amser Te mae'r rhifolion yn rhai Arabeg.

Yn ôl un awdur, fe gynhyrchwyd y math yma o jwg gogyfer â chartrefi pobl gyffredin y bedwaredd ganrif ar bymtheg. Roedd tlodi'n rhemp ac ni fyddai fawr o ddodrefn yn y cartrefi. Yn nhai'r cefnog yn unig y byddai cloc. Yn ôl y ddamcaniaeth, prynwyd y jygiau lystar ag wyneb cloc a'u gosod ar y silff ben tân neu ar y ddreser. Gan na fyddai llawer o olau yn y stafelloedd, byddai ymwelwyr yn cael eu harwain i feddwl mai cloc go iawn oedd ar y silff neu'r ddreser. Byddai hynny yn eu harwain i feddwl fod y cartref yn fwy moethus nag yr oedd mewn gwirionedd. Enghraifft gynnar o gystadlu â'r cymdogion!

Wrth ddisgrifio'r jygiau lystar ym Mharc Howard cyfeiriwyd at droslun o Abaty Castell-nedd arnynt. I fod yn fanwl gywir y mae dwy jwg yno – un â throslun o gastell Conwy a'r llall â throslun o olygfa o Abaty Tyndyrn. Dengys *Llun 13* a *Llun 14* ddwy jwg debyg.

*Llun 13 – Troslun o gastell Conwy
ar jwg lystar.*

*Llun 14 – Golygfa o Abaty Tyndyrn
ar jwg lystar arall.*

Gwnaethpwyd platiau bychain i blant yn Llanelli gyda'r ddwy olygfa yma arnynt, ynghyd â phlât yn dangos wyneb y cloc fel y dengys *Llun 15.*

*Llun 15 - Platiau plant
a) castell Conwy*

Llun 15 b) Abaty Tyndyrn

Llun 15 c) Wyneb Cloc

Y tebygrwydd yw fod y golygfeydd yn ysgythriadau a seiliwyd ar brintiau yn llyfr Gastineau, *Golygfeydd yng Nghymru.* Cyhoeddwyd y llyfr hwn yn 1830 ac felly roedd ar gael yng nghyfnod gwneuthuriad y Jygiau Amser Te ym mhedwardegau y bedwaredd ganrif ar bymtheg. O sylwi ar olygfeydd Gastineau yn *Llun 16* ni ellir gwadu perthynas rhyngddynt.

Llun 16 a) Golygfa o gastell Conwy (uchod) a b) Golygfa o Abaty Tyndyrn

Roedd yr arfer o gopïo printiau yn gyffredin iawn yn y cyfnod. Defnyddid printiau Gastineau gan gwmnïau eraill megis cwmni Thomas Dimmock (1828-1859) o swydd Stafford. Defnyddiasant y print o bont Menai sydd ar dudalen flaen y llyfr *(Llun 17)* yn sail i olygfa o'r bont ar blât yn eu cyfres *Selected Sketches*. Daeth yr arfer hwn bron i ben wedi pasio Deddf Hawlfraint 1842.

Llun 17 - Golygfa Gastineau o Bont Menai.

Y defnydd o liw yng nghorff y clai

Dyma'r trydydd maes o arbrofi a fu yn hanes cynnar y crochendy. Yn hytrach na defnyddio lliw ar gorff gwyn clai y llestri, corfforwyd y lliw yn y clai ei hun. Gwelwyd enghreifftiau o lestri o'r math yma â chorff glas, llwyd-felyn a gwyrdd. Wrth ddefnyddio'r clai lliwiedig roedd modd canolbwyntio ar ffurf y llestri, gan ddibynnu ar eu gosgeiddrwydd cynhenid yn hytrach nag ar addurniadau lliwgar, arwynebol. Wrth ddefnyddio mowld addurnedig a chlai lliwiedig gellid creu llestr lle mae manylder y mowld yn groyw amlwg. Fe welir y manylder hwn hyd yn oed pan nad yw'r lliw yn amlwg (gweler *Llun 18*). Gwyrdd yw lliw y jwg yma yn y cnawd a gwelwyd enghreifftiau eraill mewn glas.

28

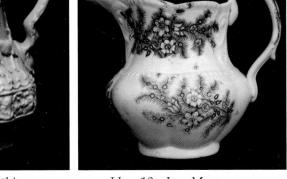

Llun 18 - Jwg gothig.　　　　　*Llun 19 - Jwg Morgannwg.*

Cyfeirir at y jwg lwyd-felen yn *Llun Lliw 1* fel Jwg Raglan ac mae'n enghraifft o jwg nobl iawn heb addurn, dim ond ei ffurf gymhleth.

Cynnyrch y cyfnod cyntaf

Ar wahân i'r arbrofi roedd mwyafrif llethol y patrymau a'r siapiau a ddefnyddid yng nghyfnod cynnar Llanelli yn debyg i'r hyn a ddaeth o ffatrïoedd eraill y cyfnod. Mae siâp y jwg yn *Llun 19* yn nodweddiadol o Grochendy Morgannwg. Jwg â phatrwm blodeuog di-enw mewn troslun glas yw hon ond mae gwasgfarc SWP oddi tani yn cadarnhau mai o Lanelli y daeth. Tybed beth oedd dylanwad William Bryant – y rheolwr yn Llanelli ond a ddaeth o Grochendy Morgannwg – ar yr efelychiad?

O safbwynt addurniadol roedd y pwyslais yn y cyfnod cyntaf ar y defnydd a wnaed o drosluniau. Techneg gyffredin iawn ym myd crochenwaith yw troslunio. Bu'n fodd i grochenwyr ddyblygu patrymau ar lestri yn rhwydd iawn drwy ddefnyddio papur arbennig i gario patrwm o blât copr a ysgythrwyd a'i drosglwyddo i'r llestr i'w addurno. Roedd y broses yn llawer rhatach a chyflymach na thechneg

29

a alwai am waith llaw. Er hynny gwnaethpwyd ychydig o lestri lle defnyddiwyd gwaith llaw i'w haddurno yn y cyfnod cyntaf hwn.

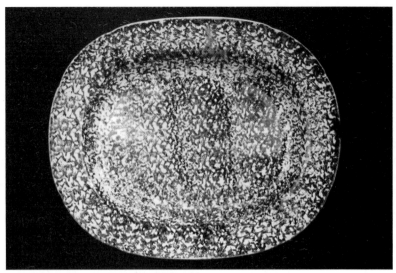

Llun 20 - Plât a addurnwyd â sbwng

Llun 21 – Jwg wythochrog ag addurno llawrydd.

Yn *Llun 20* ceir enghraifft o hambwrdd a addurnwyd â gwaith sbwng. Ychydig iawn o'r dechneg hon a welwyd yng nghyfnod Chambers ac oni bai am y gwasgfarc SWP y tu cefn iddo gellid yn hawdd briodoli'r plât i gyfnod llawer mwy diweddar yn hanes y crochendy.

Addurnwyd y jwg wythochrog yn *Llun 21* â llaw hefyd. Gwelir ochr arall y jwg hon mewn lliw yn *Llun Lliw 3*. Yn wraidd i'r addurno ar y jwg mae coesyn a blodeuyn mewn glas cryf ac addurno pellach â llaw ysgafnach i efelychu blagur a dail. Mae'r addurn hwn yn debyg i addurno a welir ar jwg sydd yn Amgueddfa Abertawe ac fe'i dangosir yn Llun 6 (tudalen 20) yn llyfr Helen Hallesy ar Grochenwaith Morgannwg (*The Glamorgan Pottery*, Gwasg Gomer 1995). Mae'r patrwm yn enghraifft arall o'r cysylltiad rhwng y ddau grochendy ac o'r ffordd yr elwodd Llanelli ar ddawn y mewnfudwyr o Abertawe.

Er yr enghreifftiau hyn, troslunio oedd y dechneg fwyaf cyffredin o addurno. Yn syml byddai llestri a wnaethpwyd o glai ar olwyn neu o fowld yn cael eu tanio mewn odyn, eu haddurno â throslun ac yna gorchuddio'r troslun â gwydredd i'w gwneud yn ddefnyddiol ac i gadw'r addurnoldeb. Mae rhai enghreifftiau o fynd un cam ymhellach â'r addurno drwy baentio ar ben y gwydredd. *Over-glaze painting* yw'r term Saesneg. Pwrpas hyn yw i fywiocáu undonedd troslun unlliw gan greu patrwm mwy lliwgar.

Yn *Llun Lliw 2* gwelir fel y mae lliwiau troswydrol yn rhoi bywyd ac apêl i drosluniau brown dieneiniad.

Patrymau'r cyfnod cyntaf

Ym Mhrydain disgrifir y cyfnod 1815-1830 fel 'Cyfnod Aur' cynhyrchu llestri gwyn wedi eu haddurno â throsluniau glas. Yn y cyfnod hwn cynhyrchwyd llestri glas a gwyn o geinder arbennig. Roedd safon corff y crochenwaith, manylder yr ysgythru a dyfnder y lliw glas yn wirioneddol drawiadol.

Yng Nghymru, cynhyrchodd crochendai'r Cambrian a Morgannwg yn Abertawe nwyddau yn y cyd-destun hwn. Daeth cyfnod cyntaf y crochendy yn Llanelli (1839-1855) dan berchnogaeth Chambers i fodolaeth yng nghysgod y 'Cyfnod Aur'. Gwelir dylanwad y cyfnod ar ansawdd y llestri a'r patrymau a ddefnyddiwyd i'w haddurno. Ynddynt mae adlais o'r 'Cyfnod Aur' gan fod y cynnyrch ar y cyfan yn safonol, ond fel yn Lloegr ac Abertawe gwelwyd newidiadau – rhai ohonynt er gwaeth.

Dechreuwyd defnyddio lliwiau tanwydredd eraill yn ychwanegol i las, megis gwyrdd, du, brown, llwyd a phorffor golau er mwyn ceisio ehangu'r farchnad i werthu'r llestri ac yn arwydd o newid yn hytrach na gostwng safon. Serch hynny, amlygwyd dirywiad yn ansawdd y trosluniau eu hunain ar brydiau drwy dderbyn safon is o ysgythru neu drwy or-ddefnydd o'r platiau copr a ysgythrwyd.

Nid amcan y llyfr hwn yw creu rhestrau manwl, holl gynhwysfawr o'r hyn a gynhyrchwyd yn Llanelli ond, yn hytrach, arweiniad yw i'r amrywiaeth a ddaeth oddi yno. Mae hefyd yn fodd i osod y crochendy a'i gynnyrch yng nghyd-destun serameg y cyfnod.

Fel ym mhob crochendy arall roedd llawer o'r patrymau mwyaf cyffredin yn drwm dan ddylanwad patrymau Tseineaidd dwyreiniol. Roedd serameg Tseineaidd wedi hen ennill ei blwyf ym Mhrydain ac mae'r patrymau dwyreiniol hyn wedi eu copïo oddi ar y mewnforion o Tsieina neu maent yn ddehongliad Ewropeaidd ohonynt. Mae'r patrymau canlynol yn enghreifftiau o'r dylanwad dwyreiniol: *Willow, Amherst Japan, Bombay Japan, Japan, Whampoa, Lahore.*

Er mai *Willow (Llun 22)* yw'r patrwm mwyaf adnabyddus drwy'r byd nid hwnnw oedd y mwyaf cyffredin yn Llanelli. Dengys *Llun 22* blât o Lanelli sydd â'r gwasgfarc SWP *(South Wales Pottery)* ar ei gefn. Gwelir enghreifftiau eraill o'r patrymau Tseineaidd yn *Llun Lliw 4*. Enghraifft o un o farciau'r cyfnod a welir yn *Llun 23*, sef marc troslun o'r patrwm *Japan*. Mae hwn yn batrwm anghyffredin iawn ond mae marc troslun ar ei gefn sy'n nodweddiadol o'r cyfnod *(Llun 23)*. Mae'n farc sy'n llawn gwybodaeth am hanes gwneuthuriad y llestr. Dengys:

- enw'r patrwm *Japan* y tu mewn i *gartouche* addurniadol
- cyfeiriad at y crochendy fel *South Wales Pottery*
- Marc o'r un lliw â'r troslun yn debyg i'r llythyren S neu'r ffigwr 8. Marc y trosluniwr yw hwn
- gwasgfarc yn debyg i seren yng nghanol y soser, sy'n farc a osodwyd gan y crochenydd a fu'n gyfrifol am lunio'r llestr o bridd
- marc lliw yn debyg i ffigwr 6 cyntefig. Mae'r lliw yn debyg i un o'r lliwiau a ddefnyddiwyd yn yr addurno troswydredd sydd ar y soser. Marc yr addurnwr yw hwn.

Byddai marc y crochendy yn bwysig wrth farchnata'r llestri a'r marciau eraill yn bwysig i gyflog crochenwyr, troslunwyr ac addurnwyr y crochendy! Roedd gan bob gweithiwr ei farc personol a defnyddiwyd y marciau i rifo'r llestri a wnaethpwyd neu a addurnwyd gan bob un. Roedd y rhif yn ffordd o faintioli cynnyrch unigolion er mwyn eu talu am eu gwaith. Efallai hefyd ei fod yn enghraifft gynnar o beth allai fod yn *quality control*!

Gwelir rhai o'r patrymau mewn ffurf glas rhedegog *(flow-blue)* yn achlysurol. Defnyddiwyd y dechneg hon mewn cyfnodau mwy diweddar hefyd yn hanes y crochendy. Yn 1820 yn Lloegr darganfuwyd y gellid ysgogi'r lliw glas cobalt a ddefnyddiwyd i

Llun 22 - Plât Willow.

Llun 23 - Marc troslun Japan.

Llun 24 - Soser Whampoa.

Llun 25 - Plât plentyn
'Death of Eva'.

Llun 26 - Plât Swiss Sketches.

Llun 27 - Hambwrdd Damask
Border.

drosglwyddo'r patrwm i'r llestr pridd i redeg neu lifo i'r rhan gwyn o'r llestr nad oedd wedi ei addurno. Effaith hyn oedd cymylu manylder y troslun gan greu effaith ddeniadol i'r llygad. Wrth orwneud y llifo gellid gorchuddio myrdd o bechodau'r crochenydd. Ni wnaethpwyd hyn â'r soser fach *Whampoa* a ddangosir yn *Llun 24*. Mae'r llestr hwn yn enghraifft o safon dda cynnyrch y cyfnod lle nad yw effaith rhedegog y lliw glas yn gorchuddio'r patrwm ond yn hytrach yn ychwanegu at ei ddiddordeb ac yn rhoi dimensiwn arall iddo.

Heblaw'r patrymau â naws y dwyrain arnynt, defnyddiwyd ffynonellau eraill i gael syniadau addurno. Roedd toreth o gyhoeddiadau printiedig ar gael yn y cyfnod a fyddai'n ddefnyddiol wrth addurno llestri. Defnyddiwyd y rhain mewn dwy ffordd:

1. Copïo'r printiau a'r lluniau yn weddol agos i'r gwreiddiol
2. Eu gwneud yn sail i olygfeydd dychmygol

Ychydig iawn a gopïwyd yn fanwl gywir. Soniwyd eisoes am brintiau Gastineau o Gonwy a Thyndyrn. Mae'n debyg bod gwreiddbrint yr olygfa o farwolaeth Efa o *Caban F'ewythr Twm* yn rhywle ond hyd yn hyn ni ddeuthum ar ei draws. Ar y plât bach yma *(Llun 25)* mae gwasgfarc â'r llythrennau *SWP (South Wales Pottery)*. Gosodwyd hwn arno pan oedd y clai yn feddal cyn ei danio, ei addurno a'i wydro. Dim ond yng nghyfnod Chambers y defnyddiwyd y gwasgfarc SWP.

Symbylwyd llawer o batrymau eraill y cyfnod gan olygfeydd cyfandirol megis: *Damask Border, Milan, Oriental, Panorama, Sirius, Swiss Sketches*. Mae'r patrwm *Swiss Sketches (Llun 26)* yn anghyffredin ac yn dangos golygfa â naws y Swistir iddi. Defnyddiwyd y patrwm *Damask Border* ar amrywiaeth o lestri, gan gynnwys llestri ar gyfer ymolchi a llestri cinio, yn setiau o blatiau bach i ddysglau cawl mawr. Troslun brown sydd ar y plât yn *Llun 27* ond glas yw'r lliw mwyaf cyffredin arno. Cyfeirir ato fel *Damask Border* am fod yr ymylon yn edrych yn debyg i liain main. Ar yr ymylon hefyd mae ceirw wedi eu clymu wrth sled – addurno amherthnasol iawn! Mae'r canol yn nodweddiadol o addurno'r cyfnod – yn gyfanwaith o olygfa â mynyddoedd, adeiladau coed a ffigurau dynol – golygfa o ddychymyg yr ysgythrwr, heb gyfeiriad pendant at unrhyw le arbennig.

34

Llun 28 - Marc Troslun Damask Border.

Llun 29 - Jwg ymolchi Oriental *(gweler hefyd Llun Lliw 4).*

Ar gefn y plât mae dau farc:

1. Gwasgfarc mewn tair llinell yn dweud *'William Chambers Junior, South Wales Pottery. Llanelli'*
2. Troslun yn cyhoeddi enw'r patrwm mewn *cartouche* ac enw'r crochendy (gweler *Llun 28*).

Yn yr olygfa sydd yn y patrwm *Oriental* gwelir dau ddyn mewn gwisg ddwyreiniol a dyn arall yn marchogaeth Lama. Defnyddiwyd y patrwm hwn yn helaeth i addurno setiau o jwg a basn ymolchi. Troslun glas yw'r patrwm ar y jwg osgeiddig yn *Llun 29*. Glas fel arfer yw'r lliw a welir ar y troslun ond o bryd i'w gilydd gwelir trosluniau brown a gwyrdd. Defnyddiwyd y patrwm eto yn ail gyfnod y crochendy wedi ymadawiad Chambers. Prin iawn yw'r enghreifftiau ond gwelir rhai â W.T.H. (W.T. Holland) arnynt.

Defnyddiwyd blodau hefyd wrth addurno â throsluniau ac o'r cyfnod cyntaf hwn dyna fyddai ar y patrymau canlynol: *Woodbine, Persian Rose, Botanical, Llanelly Bouquet.*

Roedd *Persian Rose* yn batrwm anghyffredin ond yn ddiweddar ymddangosodd set gyfan ar y

Llun 30 - Plât Persian Rose.

35

Llun 31 - Manylyn o lestr yn dangos jiráff a'r marc troslun.

farchnad mewn troslun glas. Ni ddylid cymysgu'r patrwm troslun hwn â'r patrwm a addurnwyd â gwaith llaw o'r un enw a ddaeth o gyfnod olaf y crochendy.

Enghraifft yw'r patrwm *Giraffe* o batrwm prin iawn. Dengys *Llun 31* fanylyn o fowlen las a addurnwyd â'r patrwm ynghyd â'r marc troslun. Sylwir bod y marc troslun yn cyhoeddi enw'r gwneuthurwr – W.C.Jnr., L.P., hynny yw, William Chambers Junior, Llanelly Pottery. Ychydig iawn o lestri a welwyd â'r patrwm hwn ond mae'n dangos yr amrywiaeth yn addurno'r cyfnod. Patrymau prin hefyd yw *Caledonia, Fleur de Lys a Lazuli.*

Ymgais yw'r patrwm *Lazuli (Llun 32)* i efelychu prydferthwch y mwyn lapis lazuli a fwyngloddir am ei ddefnyddioldeb addurniadol, yn enwedig ym myd gemwaith. Defnyddiwyd y patrwm yng nghrochendy'r Cambrian hefyd ar ddechrau'r bedwaredd ganrif ar bymtheg. Oddi yno fe gerddodd i Lanelli fel llawer patrwm arall!

Yng nghanol holl amrywiaeth y cyfnod cyntaf yn Llanelli roedd y pwyslais ar gynhyrchu llestri i'w defnyddio bob dydd. Serch hynny, mae enghreifftiau o eitemau addurniadol pur fel penddelw o John Wesley a llu o blatiau plant. Ar rai o'r platiau hyn gwelir gwirebau neu ddiarhebion a'r cyfan yn Saesneg. Ar blatiau bach eraill mae cyfeiriadau at y Rechabyddion a'r Odyddion.

Gwelir ar blât Urdd yr Odyddion *(Llun 33)* arfbais yr urdd a'r cyfeiriad at yr urdd, eto yn Saesneg. Yn y cyfnod hwn yn ardal Llanelli roedd y cymdeithasau cyfeillgar megis yr Odyddion yn gryf. Ar ddiwedd y bedwaredd ganrif ar bymtheg bodolai dros ddeg ar hugain o gyfrinfeydd gan yr Odyddion yn yr ardal. Gwelais gopi o reolau'r

Llun 32 - *Jwg* Lazuli.

Llun 33 - *Plât Urdd yr Odyddion.*

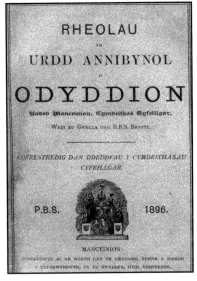

Llun 34 - *Rheolau'r Odyddion.*

Llun 35 - Plât 'David with the
head of Goliath'.

urdd yn Gymraeg a'r dyddiad 1896 arno fel y dengys *Llun 34*.

Cyfeirir at hyn er mwyn dangos fod y Gymraeg yn gyhoeddus fyw yn yr ardal ond nid oedd hynny'n amlwg ar gynnyrch y crochendy. Hyd yn oed pan oedd naws grefyddol, Feiblaidd i eitemau o lestri roedd y cyfeiriadau ysgrifenedig yn Saesneg – a hyn yn un o gadarnleoedd Anghydffurfiaeth Gymraeg. Ar y plât yn *Llun 35*, yn Saesneg, nid yn y Gymraeg, mae'r geiriau '*David with the head of Goliath*'. Sylwer fod y patrwm ar ymyl y plât yn union yr un fath ag ymyl plât *Death of Eva* yn *Llun 25*.

Daeth cyfnod cyntaf y crochendy yn Llanelli i ben gyda marwolaeth Chambers yr Hynaf yn 1855. Mewn llai na blwyddyn dywedir i Chambers yr Ieuengaf symud gyda'i deulu i blasty'r Hafod ger Aberystwyth. Mae tystiolaeth o bapurau un o ferched Chambers, Miss E. Constance Chambers, yn nodi mai yn 1856 y prynodd yr Hafod ac mai yn y flwyddyn honno yr ymadawsant â Thŷ Llanelli. Bu Chambers yr Ieuengaf farw mewn gwallgofdy yn Llansawel ger Castell-nedd yn 1882 wedi dioddef strôc a'i barlysodd am bedair blynedd.

Mae'n amlwg i arhosiad Chambers yn Llanelli adael argraff ddofn ar y gymdogaeth a'i phobl. Mewn cyfarfod ym mis Tachwedd 1855 cyflwynwyd hambwrdd arian enfawr iddo ac arno yn Saesneg roedd arysgrif:

> Cyflwynwyd gan drigolion Llanelly a'r cylch i Mr a Mrs Chambers a'r teulu yn dystiolaeth o barch ac edmygedd a gofid ar eu hymadawiad o Lanelly.

Bu'r blynyddoedd wedi gadael Llanelli yn gyfnod anodd i Chambers gyda mwy o gyfreithia â theulu Stepney a gweld y rhan fwyaf o'r stad a etifeddwyd gan ei dad yn dychwelyd i ofal teulu Stepney. Er hyn cadwodd les hir ar y crochendy gan is-brydlesu'r gwaith i C.W. Coombs a W.T. Holland yn 1855. Gyda hyn daeth cyfnod ei reolaeth i ben – cyfnod cyntaf Crochendy De Cymru.

Bu'r cyfnod yma'n hanesyddol ddiddorol, yn arbrofol mewn sawl maes ac yn safonol ac amrywiol o ran cynnyrch.

Pennod 4

Yr ail gyfnod
Cyfnod Charles William Coombs a
William Thomas Holland 1855-1875

Gŵr o orllewin Lloegr oedd Coombs, gŵr busnes â chysylltiadau cymdeithasol. Roedd yn ffrind i deulu pwysig Buckley a thra oedd yn yr ardal llogodd eu tŷ, Bryncaerau, oddi wrthynt. Heddiw adnabyddir Bryncaerau fel Plas Parc Howard. Mae'n eiddo i'r cyngor ac yn gartref pwrpasol iawn i gasgliad ardderchog o lestri Llanelli. Prynwyd Bryncaerau oddi wrth deulu Buckley gan Syr Edward Stafford Howard a'i wraig, yr Arglwyddes Meriel Howard. Y pris gofyn am y tŷ oedd £8,500 ond talwyd £7,500 a'i gyflwyno i bobl Lanelli. Newidiwyd yr enw o Howard Park i Parc Howard pan agorwyd y safle yn swyddogol ar 21ain Medi, 1912. Mae'r cerdyn post yn *Llun 36* yn dangos y plas a llun y rhoddwyr.

Un o deulu Stepney oedd yr Arglwyddes Meriel a hi a etifeddodd stad Stepney. Er ei thras fonheddig – ac yn groes i arfer y cyfnod –

Llun 36 - Parc Howard ar gerdyn post.

roedd yr Arglwyddes yn siarad Cymraeg da wedi iddi dderbyn hyfforddiant gan ficer Llangennech, y Parch T. Geler Thomas. Gwasanaeth hollol Gymraeg oedd ei gwasanaeth priodas a hynny yn eglwys y plwyf, Llanelli; roedd hefyd yn aelod o Orsedd y Beirdd a'i henw barddol oedd Meriel Caswallon. Ar ôl ei mis mêl, daeth yn ôl i'r dref a dywedodd ar goedd yno unwaith, 'Ni fyddem erioed wedi meddwl am fyw yn unlle ond yn Llanelli'.

Roedd Coombs yn ddyn diwylliedig a diddordeb mawr ganddo mewn cerddoriaeth. Ef oedd yn gyfrifol am sefydlu Cymdeithas Philharmonig Llanelli. Er ei fod yn siaradwr cyhoeddus graenus ac yn dderbyniol fel darlithydd ar destunau cerddorol, nid oedd mor ddawnus pan oedd yn canu. Dywedwyd amdano yn y wasg leol ar y pryd, 'petai Natur wedi ei freintio â llais da, mi fyddai'n ganwr dawnus gan ei fod yn eiddo ar ddoniau angenrheidiol eraill yn helaeth'. Yn gymdeithasol, roedd yn egnïol ei gyfraniad mewn llawer maes – fel cricedwr, yn Feistr Cyfrinfa Tywysog Cymru y Seiri Rhyddion ac yn ysgrifennydd Sioe Arddio Llanelli.

Dywedir bod ei fryd ar wella safon yr hyn a gynhyrchwyd yn y crochendy ond ni ddaeth llwyddiant iddo. Ni fedrodd briodi cynnyrch o safon uchel a llwyddiant masnachol. Torrodd ei gysylltiad â'r crochendy yn 1858 gan ymddeol i Abertawe. Pan fu farw dywedodd y *Llanelly Guardian* amdano:

Daeth Mr Coombs i Lanelli gan gymryd les ar Grochendy Llanelli a'i offer oddi wrth Mr Chambers a byw ym Mryncaerau. Gwaetha'r modd gwariodd ei gyfalaf i gyd yn y fenter gan ddarostwng ei hun o stad gyfoethog i dlodi cymharol.

Ei bartner yn y les oedd William Thomas Holland a oedd yn ddyn profiadol ym myd crochenwaith. Fel llawer o weithwyr Llanelli, daeth Holland o swydd Stafford. Roedd yn sicr ei wybodaeth o gynhyrchu crochenwaith ac yn 1854 roedd yn rheolwr ar y gwaith yn Llanelli yng nghyfnod perchnogaeth Chambers. Parhaodd ei bartneriaeth â Coombs o 1855 i 1858. Rhwng 1855 ac 1857 roedd Holland yn berchen ar gyfran helaeth o'r fenter, er bod cytundeb ganddo â David Guest a fu'n flaenllaw yn y crochendy yn ei gyfnod olaf.

Nid oedd yn ddyn cyhoeddus a thra bu wrth y llyw roedd cynnyrch y ffatri'n grefftus. Roedd corff y llestri o ansawdd da o ganlyniad i'w ymdrechion ef. Aeth ati i ddyfeisio ffordd o galedu corff

Llun 37 - Plât Flora. *Llun 38 - Marc diemwnt troslun.*

y clai a'i alw'n haearn faen *(ironstone)*. Bu cwmni C. J. Mason yn swydd Stafford yn gwneud yr un peth yn gynharach a thebyg mai efelychiad o'r ymdrechion hyn a welwyd yn Llanelli. Roedd y corff caled hwn yn addas iawn i dderbyn trosluniau a gwelwyd cyfnod o droslunio o safon uchel a derbyniol. Enghraifft o hyn yw'r patrwm *Flora* a welir yn *Llun 37*. Duwies Rufeinig y blodau oedd Flora ac nid rhyfedd felly mai cyfres o batrymau blodeuog ydynt. Y tebygrwydd yw mai'r ysgythrwr yn y crochendy ar y pryd, Herbert Toft a aned yn Hanley, swydd Stafford, oedd yn gyfrifol am y manylder cywrain.

Ar gefn y plât yn *Llun 37* mae dau farc :

- gwasgfarc yn dweud *Ironstone China*
- marc troslun sy'n llawn gwybodaeth (gweler *Llun 38*)

Enw'r patrwm *Flora* sydd ar ben ucha'r marc diemwnt ac enw'r gwneuthurwyr C&H (Coombs a Holland) sydd ar y gwaelod. Cyfeiria'r siâp diemwnt yn y canol at y ffaith i'r patrwm gael ei gofrestru yn Swyddfa'r Patentau Prydeinig. Wrth gofrestru'r patrwm rhoddwyd hawlfraint arno am dair blynedd ac mae'r *Rd* (*Registered*/cofrestrwyd) yng nghanol y diemwnt yn dyst i hynny. Yn y cylch uwchben y diemwnt golyga *IV* mai nwyddau seramig a gofrestrwyd: yr *E* oddi tano yn nodi blwyddyn y cofrestru – 1855; y *G* ar y chwith y mis – Chwefror; y *5* ar y dde y dydd – y pumed o'r mis; y *7* ar y gwaelod yw'r cyfeiriad at rif y parsel a gofrestrwyd. Felly fe gofrestrwyd y patrwm ar y pumed o Chwefror 1855.

Mae'r dyddiad uchod yn ddiddorol. Bu Chambers yr Hynaf farw ar y nawfed o Chwefror 1855. Llofnodwyd cytundeb y les rhwng

Llun 39 - Plât Llanelly Bouquet.   *Llun 40 - Plât* Colandine.

Chambers yr Ieuengaf a Coombs a Holland ar y 21ain o Ragfyr 1855. Mae hyn yn awgrymu bod cynlluniau i drosglwyddo'r crochendy i ddwylo Coombs a Holland cyn arwyddo'r cytundeb a'u bod hwy wedi mynd ati ar fyrder i osod eu stamp ar y gwaith.

Y patrwm hwn a ddefnyddiwyd gan Grochendy De Cymru i arddangos ym Mhalas Alexandria yn Llundain yn 1862. Bu'n glod i'r cwmni gael ei dderbyn yn yr arddangosfa a thebyg i hyn fod yn hwb iddynt ac o fudd masnachol.

Parhawyd i ddefnyddio llawer o'r patrymau a welwyd yng nghyfnod Chambers, gan gynnwys *Llanelly Bouquet (Llun 39)*. Dywedir y cofrestrwyd y patrwm hwn fel y cofrestrwyd *Flora*. Mewn rhestr o'r hyn a gofrestrwyd rhwng 1842 ac 1883 a welir yn y llyfr *British Ceramics Marks* gan J. P. Cushion (Faber & Faber, 1959) mae cyfeiriad at *Flora* ond nid oes un at *Llanelly Bouquet*. Patrwm yw *Llanelly Bouquet* sy'n cynnwys tusw o flodau mewn cawg. Gwelwyd y patrwm mewn troslun glas, llwydlas a du.

Er i'r patrwm *Colandine (Llun 40)* ymddangos yng nghyfnod cyntaf y crochendy, daeth mwy i'r amlwg yn yr ail gyfnod. Fe'i gwelwyd mewn troslun glas, gwyrdd, pinc a brown. Mae blas y dwyrain arno ac mae'n barhad o'r traddodiad cyffredin o efelychu golygfeydd dwyreiniol. Defnyddiwyd y patrwm gan grochendai eraill hefyd megis Crochendy Bovey Tracey yn swydd Dyfnaint.

Gwelir enw'r patrwm ar lestri *Colandine* yn fynych fel enw y tu mewn i *gartouche*. Llai cyffredin yw gweld enw'r gwneuthurwr fel WTH (W. T. Holland) o dan y *cartouche* a ddangosir yn Llun 41. Yn aml hefyd gwelir marc troslun cwmni Primavesi ar lestri *Colandine*. Cwmni o gyfanwerthwyr ym myd llestri oedd Primavesi ac maent yn

Llun 41 - Marc troslun Colandine.

Llun 42 - Jwg Nautilus.

cyfeirio yn eu marciau eu bod yn gwmni o Gaerdydd; Caerdydd ac Abertawe; Caerdydd, Abertawe a Chasnewydd ac yn eithriadol fel Abertawe, Casnewydd a Llundain. Gwelwyd marc Primavesi ar sawl patrwm ond prin iawn yw'r enghreifftiau o lestri a farciwyd â marc Llanelli a Primavesi ar yr un llestr. Prynodd y cwmni lestri o grochendai eraill ar hyd a lled Prydain hefyd. Nid yw marc Primavesi yn unig yn ddigon o sail i briodoli llestr i unrhyw grochendy yn arbennig.

Patrymau eraill a ddefnyddiwyd yn aml iawn yn y cyfnod, yn enwedig ar jygiau, oedd *Fern* a *Nautilus*. Patrwm â blas y môr arno yw *Nautilus* gyda'i addurniadau o gregyn a gwymon. Mae enghreifftiau ohono mewn troslun plaen ac eraill lle mae'r cefndir cyfan wedi'i liwio, a'r troslun hefyd wedi ei liwio dros y gwydredd. Ar yr

enghraifft yn *Llun 42* a *Llun Lliw 3* mae marc troslun (gweler *Llun 43*) yn cynnwys enw'r patrwm ac enw'r gwneuthurwyr – Coombs a Holland. Defnyddiwyd y marc cyfansawdd hwn wedi ymadawiad Coombs yn 1858 ac nid yw'n ganllaw sicr i ddyddio'r llestr.

Llun 43 - Marc troslun ar y jwg Nautilus.

Llun 44 -
Llestri arysgrifedig o
gyfnod Coombs a
Holland.

44

Llestri arysgrifedig yr ail gyfnod

Gwnaethpwyd defnydd helaeth o'r ddau batrwm *Fern* a *Nautilus* i gario arysgrifen yn ail gyfnod y crochendy. Ychydig iawn o lestri arysgrifedig sy'n deillio o gyfnod Chambers. Mae un o'r cyfnod hwn yn yr arddangosfa ym Mharc Howard, jwg wythochrog â dolen sarff ydyw, wedi'i haddurno â phatrwm blodeuog. Dywed yr arysgrifen 'William Glencrofts 1842'. Tyfodd yr arfer yn yr ail gyfnod ac ar y cyfan mae'r llestri arysgrifedig mewn ysgrifen caligraffi ffurfiol. Gwelwyd enghreifftiau prin lle defnyddiwyd stensil i ddibenion arysgrifennu. Dengys *Llun 44* enghreifftiau o'r traddodiad ffurfiol.

Cysylltiad Ynysmeudwy â Llanelli

Wrth sôn am grochendai eraill yr ardal soniwyd eisoes i W. T. Holland brynu crochendy Ynysmeudwy yn 1870 gan symud offer i Lanelli. Nid oes tystiolaeth sicr o beth a symudwyd i Lanelli ond credir iddo drosglwyddo llawer, os nad y cyfan, o'r platiau copr ysgythredig a ddefnyddiwyd wrth addurno llestri â throsluniau. Mae'r bobl sydd â'u diddordeb pennaf yn llestri Ynysmeudwy yn amharod iawn i dderbyn na wnaethpwyd llestri trosluniol yn Ynysmeudwy wedi 1870. Nid oes gwir sicrwydd y naill ffordd na'r llall gan mai anodd yw gwahaniaethu rhwng cynnyrch y ddau grochendy ar lestri heb farc. Un peth sydd yn sicr, ymddangosodd llawer o batrymau Ynysmeudwy ar lestri o Lanelli. Enghreifftiau o'r patrymau sy'n gyffredin i Lanelli ac Ynysmeudwy yw *Eastern, Rural, Lavinium, Alma, Alambra* ac *Anemone*. Patrwm blodeuog sy'n cynnwys daffodil ar ochr dde y patrwm yw *Eastern* (gweler *Llun 45*).

Patrwm blodeuog yw *Anemone* hefyd *(Llun 47)* ac mae'r marc troslun ar gefn y soser yn dangos yr enw wedi ei amgylchynu â *chartouche* deiliog. O *Lun 46* gwelir fod marc bach troslun arall arno – troslun glas mewn ffurf diemwnt. Marc y troslunydd neu'r crochenydd yw hwn. Mae'n farc syml a welir ar lestri o sawl crochendy ac ni ellir pwyso arno am bendantrwydd gwybodaeth am darddiad y llestr.

Ar y cwpan yn *Llun 47* mae marc stensil yn dweud *T H New Dock*. Ardal yn Llanelli yw *New Dock*. Y tebygrwydd yw mai platiau copr Ynysmeudwy a ddefnyddiwyd i gynhyrchu'r llestri gan fod y patrwm yn union yr un fath â'r hyn a welwyd ar deilchion llestri a

Llun 45 - Plât patrwm Eastern.

Llun 46 - Marc Anemone
ar gefn y soser.

Llun 47 - Cwpan a soser Anemone.

Llun 48 - Jwg Rural.

ddarganfuwyd yn Ynysmeudwy. Gyda'r cyfeiriad lleol mae'r un mor
debyg mai yn Llanelli y cynhyrchwyd ac yr addurnwyd y llestri hyn.

Rhywbeth tebyg siŵr o fod yw hanes y jwg yn *Llun 48*. *Rural* yw'r
patrwm ac fel y mae'r enw yn awgrymu, golygfa wledig sy'n ei
nodweddu.

Patrymau eraill o'r cyfnod

Yng nghyfnod W.T. Holland cynhyrchwyd llu o batrymau eraill llai
cyffredin megis *Albert, Avis, Gower, Etruria, Ivy Wreath, Exotic* a *Moss
Rose*.

Llun 49 - Jwg Ivy Wreath.

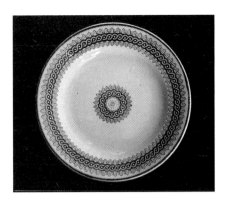

Llun 50 - Plât Gower.

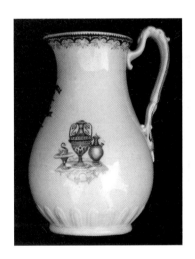

Llun 51 - Dwy ochr jwg Exotic *a'r marc troslun* Exotic.

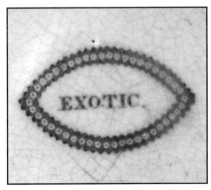

Anaml y gwelir y patrymau hyn ond maent yn dod i glawr yn awr ac yn y man, fel y jwg *Ivy Wreath* yn *Llun 49*. Mae enw'r patrwm a'r gwneuthurwr o dan y jwg mewn *cartouche* deiliog.

Gweddol anghyffredin yw *Gower* (*Llun 50*). Nid yw'n batrwm addurnedig iawn ac nid yw'n cario marc y crochendy. Dywed awduron *Llanelly Pottery*, Gareth Hughes a Robert Pugh, y gellir yn sicr ei briodoli i Lanelli ac mai dim ond yn Llanelli y cynhyrchwyd y patrwm.

Anghyffredin hefyd yw'r patrwm *Exotic* a welir yn *Llun 51*. Cyfeirir yn gamarweiniol at *Exotic* fel *Triple Urn* ar brydiau. Mae'n wir fod tri wrn mewn troslun ar y jwg ond mae marc arni'n cyhoeddi'n bendant mai *Exotic* yw'r patrwm, fel y dengys *Llun 51*.

Daeth ail gyfnod y crochendy i ben yn 1875 pan gaewyd y gwaith gan W.T. Holland. Trodd yntau ei olygon at Ynysmeudwy gan ei fod ef a'i wraig yn gysylltiedig â hwnnw o hyd. Ni roddir rhesymau am dranc y crochendy yn Llanelli yn y cyfnod hwn. Tebyg i'r ffaith i Holland brynu offer o ddau grochendy yn y blynyddoedd cyn hynny fod yn berthnasol o safbwynt treth ariannol arno. Prynodd Ynysmeudwy yn 1870 ac yn yr un flwyddyn prynodd offer o waith y Cambrian yn Abertawe. Os bu ffactorau economi anffafriol yn pwyso ar y Cambrian, roeddent hefyd yn pwyso ar Lanelli ac yn llyffetheirio Holland. Ni welwyd un cyfeiriad at David Guest yn yr helbulon hyn. Gan fod Guest yn bartner i Holland, mae hyn yn syndod. Ni ellir ond dyfalu pa ran a chwaraeodd David Guest pan gaewyd y gwaith a hefyd am ei ran yn ystod y cyfnod segur a ddilynodd hynny.

Dirgelwch, felly, sy'n amgylchynu diwedd ail gyfnod Crochendy De Cymru. Cyfnod yn hanes y crochendy a nodweddwyd gan gynnyrch sylweddol ac amrywiol ac ansawdd da o lestri o safbwynt eu corff a'u haddurno.

Pennod 5

Y cyfnod olaf
Cyfnod Guest a Dewsberry 1877-1922

Bu'r crochendy yn Llanelli yn segur am ryw ddwy flynedd ar ôl ei gau gan W.T. Holland yn 1875. Nid oes cofnod o'r rhesymau am y ddwy flynedd o segurdod yn hanes y gwaith. Dechreuwyd ar y cyfnod olaf yn hanes y crochendy yn 1877 pan ymunodd Richard Dewsberry â'i gefnder David Guest i redeg y busnes. Bu David Guest yn rhan o'r gwaith yn gynharach fel partner i W.T. Holland a daeth ei gefnder o swydd Stafford i ymuno ag ef. Buont yn gyd-berchnogion hyd at farw Dewsberry yn 1906. Wedi marw Guest yn 1912 ffurfiodd aelodau ei deulu gwmni i redeg y busnes hyd at ei gau yn 1922.

O safbwynt crochenwaith, cyfnod dilewyrch oedd y cyfnod olaf hwn heb fawr o ansawdd i'r cynnyrch. O ran crefftwaith, nid amlygwyd graen y cyfnodau cynnar. Collwyd safon y ffurfiau gosgeiddig a welwyd yng nghyfnod William Chambers yr Ieuengaf a'r troslunio cywrain o gyfnod W.T. Holland. O weld safon y cynnyrch, mae'n amlwg nad oedd y crochendy'n anelu at farchnad eang.

Patrymau megis *Asiatic Pheasant (Llun 52)* oedd yn gyffredin. Mae marc troslun ar gefn y plât *(Llun 53)* yn cyfeirio at y patrwm ac at y gwneuthurwyr, Guest a Dewsberry, Llanelli (G&D, L). Bu cynhyrchu mawr ar y patrwm hwn yn ystod y cyfnod olaf yn y gwaith ac roedd yn batrwm a ddefnyddiwyd mewn mannau eraill megis swydd Stafford, yr Alban, Bryste a Bovey Tracey. Ni ellir gosod gormod o sail ar y gred gyffredinol y gellid adnabod ffesantod Llanelli wrth eu gyddfau sgraglyd!

Parhawyd i gynhyrchu patrymau a ddefnyddiwyd yn y cyfnodau cynnar. Soniwyd eisoes am y patrwm *Eastern* (gweler *Llun 45*) a ddaeth o Ynysmeudwy yng nghyfnod W.T. Holland; roedd y patrwm yn fyw yn y cyfnod olaf hefyd fel y tystia'r marc ar un o'r llestri yn *Llun 54.*

Defnyddiwyd y patrwm *Syria (Llun 55)* mewn mwy nag un cyfnod hefyd. Gwelwyd y patrwm hwn yn yr Alban ar lestri crochendai Verreville a Britannia ar ddechrau'r bedwaredd ganrif ar bymtheg, felly un o'r patrymau a brynwyd gan Lanelli ydyw.

Llun 52 - Hambwrdd Asiatic
Pheasant.

Llun 53 - Marc troslun
Asiatic Pheasant.

Llun 54 - Marc troslun Eastern *o
gyfnod Guest a Dewsberry.*

Llun 55 - Plât Syria.

Llun 56 - Marc troslun Syria.

Mae'r marc troslun ar y plât yn *Llun 56* yn un prin iawn. Dengys angor y tu mewn i *gartouche* deiliog, enw'r patrwm *Syria*, a'r llythrennau G&D (Guest a Dewsberry) sy'n ei osod yn sicr yng nghyfnod olaf y crochendy. Dywed un o awduron *Llanelly Pottery* iddo weld eitem debyg a oedd yn eiddo i Dilys Jenkins. Hi oedd awdur y llyfr cyntaf am lestri Llanelli ac roedd yn llysferch i'r enwog Sidney

Heath o Abertawe. Yn ei amser cydnabyddid y gŵr hwn yn gasglwr brwd o lestri Abertawe a thebyg mai ef a ysgogodd yn ei lysferch ddiddordeb mewn crochenwaith.

Tua diwedd oes y crochendy cafwyd rhyw ail-wynt yn y gwaith wrth roi mwy o sylw i addurno â gwaith llaw. Nid oedd hyn, gwaetha'r modd, yn ddigon i gadw'r busnes yn llwyddiannus a llewyrchus. Bu'n fodd, serch hynny, i greu cyfnod o gynhyrchu llestri diddorol dros ben sy'n faes ffrwythlon iawn i gasglwyr modern.

Yn y cyfnod olaf hwn bu addurno a phaentio â llaw yn amlwg iawn. Defnyddiwyd y broses o droslunio o hyd ond rhaid cyfaddef fod safonau'n gostwng o safbwynt crefft troslunio ac ansawdd y crochenwaith ei hun.

Llun 57 - Pot siambr sbwng.

Un dull o addurno â llaw oedd drwy ddefnyddio sbwng. Addurnwyd y pot siambr yn *Llun 57* â sbwng. Yn y cyswllt hwn rhan o 'wreiddyn' y sbwng a ddefnyddid. Anifail yw sbwng ac wrth ddweud 'gwreiddyn' yr hyn a olygir yw'r rhan galed o gorff y sbwng sy'n fodd i'w angori ar y creigiau lle mae'n byw. Torrid darn o'r gwreiddyn i'w siâp yn y crochendy neu fe brynid y siapiau oddi wrth gwmni a werthai sbwng wedi ei dorri a'i siapio'n barod. Wedi gosod y sbwng cerfiedig ar goesyn pren fe'i defnyddid i drosglwyddo lliw i addurno'r llestri yn eu ffurf bisged, hynny yw, yn galed wedi eu tanio eisoes ond yn ddiaddurn.

Defnyddiwyd y dechneg o addurno â sbwng gan grochendai mewn llawer gwlad yn Ewrop a hefyd yn y Dwyrain Pell a'r Unol Daleithiau. Yn aml, mae'r patrymau yn debyg iawn ble bynnag y'u cynhyrchwyd oherwydd fe defnyddiwyd yr un sbwng masnachol gan wahanol grochendai. Maes anodd, os nad yr anoddaf, yw priodoli llestri wedi eu haddurno â sbwng i grochendy arbennig os nad ydynt wedi eu marcio – ac ychydig iawn, iawn a farciwyd. Cyhoeddwyd llyfr yn ddiweddar ar lestri sbwng gan Kelly, Kowalsky a Kowalsky (*Spongeware 1835-1935*, Cwmni Schiffer 2001). Mae'r lluniau sydd ynddo yn dangos y tebygrwydd gweledol sydd gan y llestri hyn o wahanol grochendai ac yn tanlinellu'r problemau o leoli eu gwneuthuriad.

Ffordd arall o addurno oedd creu patrymau wedi eu paentio â llaw. Enghraifft dda o hyn fyddai'r patrwm a elwir yn *Rhosyn Persia* neu *Persian Rose*. Cyfeiriwyd at batrwm o'r un enw (ond gwahanol) yng nghyfnod Chambers; patrwm troslun oedd hwnnw (gweler *Llun 30*). Addurnwyd *Rhosyn Persia* cyfnod Guest a Dewsberry â gwaith llaw. Gwelir enghreifftiau ohono yn *Llun Lliw 3*. Cynhyrchwyd y patrwm gan lu o grochendai ym Mhrydain ac ar y cyfandir ond heb ei enwi ar y pryd. Dilys Jenkins oedd y gyntaf i roi'r enw *Rhosyn Persia* i'r patrwm ac erbyn heddiw derbynnir yr enw *Persian Rose* yn gyffredinol gan gasglwyr ac awduron ym myd llestri.

Defnyddiwyd y patrwm ar lestri bob dydd ac mae set o lestri te gyda'r patrwm hwn yn lliwgar dros ben gyda gwyrddni'r dail, coch y blodyn a glas y cwlwm addurniadol. Bu'r llestri hyn yn addurno sawl parlwr Cymreig ar ddechrau'r ugeinfed ganrif.

Ceiliogod Llanelli

Daeth y ddwy arddull yma o addurno – paentio â llaw a gwaith sbwng – at ei gilydd gyda cheiliogod Llanelli. Ar y fowlen yn *Llun 58* gwaith paentio â llaw sy'n amlwg yn y canol ond ymyl o waith sbwng ydyw. Mae'r gwaith sbwng yn union yr un fath â'r addurno sbwng ar y pot siambr yn *Llun 57*.

Nid oes dau blât ceiliog yr un fath yn gymwys gan fod pob un ohonynt yn gynnyrch gwaith llaw. Gwahaniaetha'r ymylon o ran patrwm a'r ceiliogod o ran siâp a lliw, fel y gwna'r deiliach o amgylch y ceiliog. Yr unig nodwedd gyson sydd gan y ceiliogod yw'r ffaith eu bod i gyd yn edrych i'r chwith. Nid yw'r duedd i edrych i'r chwith yn ddieithr i drigolion Llanelli, boed nhw'n bobl neu'n geiliogod! Mae *Llun Lliw 5* yn dangos peth o amrywiaeth yr addurno.

Ar y plât yn *Llun 59*, gwaith llaw yw'r ceiliog, yr ymyl las a'r addurniadau blodeuog ac nid gwaith sbwng. Credir mai gwaith Sarah Jane Roberts yw'r plât hwn. Yn *Llanelly Pottery* ar dudalen 38 ceir llun o blât tebyg iawn a baentiodd Sarah Roberts i'w nith, Mrs Annie Anfield, sy'n cadarnhau tarddiad y llestr yn ein llun ni. Adnabuwyd Sarah Roberts yn y crochendy fel 'Anti Sal' a hi oedd yn gyfrifol am y rhan fwyaf o'r ceiliogod a baentiwyd – ond nid y cyfan. Dywedir y paentiwyd rhai o'r ceiliogod gan ymwelwyr o blant i'r crochendy. O

Llun 58 - Bowlen Ceiliog.

Llun 59 - Plât Anti Sal.

Llun 60 - Plât ceiliog Clifford.

edrych ar y plât yn *Llun 60* efallai fod sail i'r gred hon. Mae'n amlwg mai llaw anaeddfed iawn fu'n gyfrifol am ran o'r addurno gan fod crib y ceiliog, y deiliach o'i amgylch a'r enw Clifford yn amaturaidd ac anaeddfed. Yn ychwanegol i'r nodweddion hyn gwelir mai plât ydyw â'r wyddor ar ei ymyl ac enw bachgen arno. Dywedodd Mrs Anfield fod ei modryb yn hoff iawn o blant a'i bod yn gadael iddynt ddod i'r stafelloedd yn y crochendy lle'r oedd hi a merched eraill yn paentio. Mae hyn oll yn ein harwain i roi sail i'r ddamcaniaeth am blant yn ymweld â'r crochendy ac yn paentio ambell blât ceiliog. Pwy a ŵyr na chafodd crwt o'r enw Clifford, ar ymweliad â'r crochendy, gynorthwyo i baentio un o'r platiau a'i gael yn anrheg i fynd tua thre?

Cyfeiriwyd at geiliogod Llanelli yn ddiweddar fel enghraifft o grefftwaith sy'n rhan o gelfyddyd weledol, werinol na ddylid ei ddibrisio. Oherwydd hyn, dylem eu parchu.

Samuel Walter Shufflebotham

Enw pwysig arall o'r cyfnod olaf yn hanes y crochendy yw Samuel Walter Shufflebotham. Fe'i ganed yn swydd Stafford ac fel dyn ifanc bu'n gweithio gyda chwmni Poutney ym Mryste. Yno gyda George Stewart dysgodd y grefft o baentio ar grochenwaith. Daeth George Stewart yntau â'i grefft o Wemyss yn yr Alban. Ym Mryste perffeithiodd Shufflebotham y gelfyddyd o baentio blodau a delweddau eraill ar lestri. Roedd yr arddull yn drwm dan ddylanwad yr arddull a nodweddai grochenwaith Wemyss.

Priododd Shufflebotham ym Mryste a symud i Lanelli i weithio o 1908 hyd at 1915. Daeth â'i grefft gydag ef ac yn Llanelli parhaodd i baentio yn y traddodiad a ddatblygodd ym Mryste. Yn 1915 symudodd yn ôl i Fryste lle y bu hyd at 1929. Wedyn symudodd i dde-orllewin Lloegr a gweithio yn Torquay, crochendy Crown Dorset ac yna yng nghrochendy Devon Tors yn Bovey Tracey – gwaith a ddechreuwyd wedi'r Rhyfel Byd Cyntaf fel y *Devon Tors Art Pottery*.

Yn y cyfnod o ryw saith mlynedd pan oedd yn Llanelli paentiodd amrywiaeth o destunau ar lestri o bob math – o blatiau bach i gawgiau blodau mawr. Roedd blodau a ffrwythau yn addurniadau a ddefnyddiai'n aml. Y rhosyn te oedd y mwyaf cyffredin efallai. Perthynai crefft arbennig i'r rhain ac roedd Shufflebotham yn gallu creu rhosyn byw â chynildeb anghyffredin o gyffyrddiadau â'i frws. Gwelir llawer o addurno â rhosod gwyllt, ceirios ac eirin. Llai cyffredin yw'r pansi ac afalau a llai cyffredin byth yw'r iris a'r cennin Pedr, y pabi, tiwlip, ffiwsia, mwyar a chnau. Yn ychwanegol i flodau a ffrwythau defnyddiodd Shufflebotham addurniadau eraill megis ceiliogod, ieir, adar megis y crëyr, llongau hwylio a golygfeydd o fythynnod a melinau. Gwelir enghreifftiau o waith Shufflebotham yn *Llun Lliw 6, 7* ac *8*.

Yn arbennig i Lanelli paentiodd enghreifftiau prin iawn o eglwys y plwyf. Mae effaith y dref hefyd ar y llestri sydd â golygfeydd a ffigurau o'r Iseldiroedd (gweler *Llun 61*). Deilliodd y rhain o berfformiadau o opereta yn un o gapeli'r dref. Dywed Dilys Jenkins yn ei llyfr mai enw'r opereta oedd *Jan the Dutchman*. Mae lle i gredu mai *Jan the Windmill Man* yw'r teitl cywir gan i'r opereta fach honno fod yn hynod o boblogaidd yn yr ardal mewn cyfnod diweddarach.

Gwelir dylanwad Cymreig cyffredinol ar y llestri a addurnwyd â ffigurau o ferched mewn gwisg Gymreig. Ystyrir y llestri wedi eu harwyddo â'r arysgrif 'Mari Jones' yn gasgladwy iawn (gweler *Llun Lliw 8*). Mae mwy o batrymau ar gael nag a enwyd uchod ac mae amrywiaeth yn y marciau arnynt. Dengys *Llun 62* enghreifftiau o'r marciau ar y llestri a addurnodd Shufflebotham.

Llun 61 - Hambwrdd o olygfa
o'r Iseldiroedd.

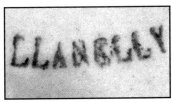

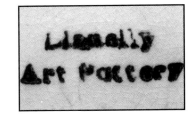

Llun 62 - Marciau ar lestri
Shufflebotham.

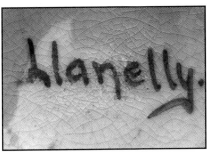

Llun 63 - Marciau o lawysgrifen Shufflebotham.

Marciau prin iawn yw'r ddau yn *Llun 63* lle gwelir marciau mewn llawysgrifen. Sylwer yn arbennig ar y llythrennau *L* ac *y*. Credir mai llawysgrifen Shuff ei hun ydyw ac mae'r ysgrifen yn debyg i'r arysgrif ar y soser yn *Llun 64*.

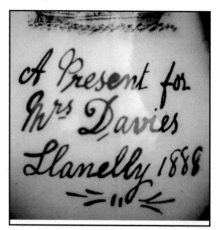

Llun 64 - Soser Llandudoch.

Llun 65 - Enghreifftiau o lestri arysgrifedig o'r cyfnod diwethaf.

Llestri arysgrifedig y cyfnod olaf

Mae'r soser yn *Llun 64* yn rhan o set o lestri a wnaethpwyd i ferch capten llong o Landudoch yn anrheg priodas. Sylwer ei bod yn enghraifft o un o batrymau a arferwyd yn y cyfnod ond a bersonolwyd ag arysgrif. Bu'r personoli hwn yn rhan o draddodiad y crochendy. Gwelwyd ychydig bach ohono yng nghyfnod Chambers a llawer mwy yng nghyfnod Coombs a Holland fel y dangoswyd eisoes. Yng nghyfnod olaf y crochendy o 1887 ymlaen, bu bri mawr ar lestri

56

arysgrifedig ac ymgorfforwyd sawl neges bersonol iawn ar y llestri. Mae un arysgrifen ar driawd o jygiau a throsluniau y patrwm *Nantilus* yn cyhoeddi *'Presented to Mrs E. Evans, Pant Cad Ivor Inn, Pant Dowlais. From her sister Jane, March 21/90.'* Enw a lle a'r flwyddyn yn unig a geir ar eraill. Newidiodd caligraffi ffurfiol, addurnedig cyfnod W.T. Holland i ffurf llawer mwy llawrydd fel ag a welir yn *Llun 65*.

Er i newidiadau caligraffeg fod yn amlwg, Saesneg a ddefnyddiwyd o hyd ar y llestri. Er enghraifft *'A Wedding Present for Mr and Mrs Jenkins'* sydd ar y plât bara yn *Llun 66*. Yn rhan o'r patrwm a welir ar ymyl y plât, eto yn Saesneg, mae'r geiriau 'Lle mae rheswm yn teyrnasu mae'r chwant yn ufuddhau'. Bu llawer o gynnyrch o'r patrwm hwn yn swydd Stafford ond mae'r arysgrif yn hawlio mai o Lanelli y daeth y plât hwn.

Un o'r ychydig enghreifftiau o arysgrif yn y Gymraeg a welwyd yw'r fowlen yn *Llun 67*. Priodolir y llestr hwn i Lanelli am fod yr arysgrifen yn Gymraeg – 'Cymry(sic) am byth'. Mae'r arysgrifen mewn stensil du ac mae enghreifftiau eraill o arysgrifen mewn stensil du tebyg ar lestri Llanelli. Heb yr arysgrifen, mae'r fowlen yn debyg iawn o ran gwneuthuriad i'r hyn a gynhyrchwyd yn yr Alban. Barn arbenigwr o'r Alban yw nad o'r Alban y daeth (gweler *Plate XX, Scottish Sponge Printed Pottery*, Henry E. Kelly, Lemonside Press, 1993). Y rheswm a roddir gan yr arbenigwr yw Cymraeg yr arysgrif. Er hyn, mae siâp y fowlen yn gosod amheuaeth ar ei phriodoli i Lanelli.

Llun 66 - Plât bara. *Llun 67 - Bowlen 'Cymry am byth'.*

57

Y diwedd

Er yr ymdrechion ar ddechrau'r ugeinfed ganrif i gadw'r ffatri'n gystadleuol o safbwynt masnach, ni ddaeth llwyddiant iddynt. Nid oedd dawn yr arlunwyr a'u llestri addurnedig yn ddim yn erbyn y ffactorau a dynnai'r ffatri ar ei gluniau. Dechreuodd y dirywiad o ddifrif gyda'r Rhyfel Mawr. Yn y cyfnod hwnnw rhyw hanner cant o weithwyr a gyflogwyd yn y crochendy – hyn i gymharu â thros gant a hanner a gyflogwyd pan oedd y gwaith yn ei anterth. Cynigir sawl rheswm am y dirywiad a'r tebygrwydd yw nad un rheswm ond swm y rhesymau a loriodd y cwmni yn y diwedd.

Ymhlith y problemau roedd diffyg ymdrech i werthu a marchnata'r cynnyrch. Erbyn y cyfnod wedi'r Rhyfel Mawr cyfyngwyd gwerthu'r cwmni i'r hyn a ellid ei werthu'n lleol. Roedd hyn yn andwyol i les ac iechyd masnachol y cwmni.

Hefyd roedd problemau denu crochenwyr profiadol. Ar ddechrau'r ugeinfed ganrif Crochendy Llanelli oedd yr unig un o'i fath ar ôl yn ne Cymru. Mae crochenwaith yn hawlio crefft arbennig a bellach nid oedd cnewyllyn o weithwyr profiadol ar gael i'r crochendy yn yr ardal. Er arbenigedd y grefft nid oedd y tâl amdani'n fawr a denwyd hyd yn oed y crefftwyr i feysydd eraill. Erbyn diwedd y bedwaredd ganrif ar bymtheg roedd Llanelli'n dibynnu'n hollol bron ar ddiwydiant trwm yn waith i'w phoblogaeth. Adeiladwyd saith gwaith tun o fewn ffiniau'r dre – nid heb reswm y gelwid Llanelli yn Tinopolis! Nid oedd gwaith ysgafn y crochendy yn unrhyw gystadleuaeth i'r cewri diwydiannol modern gyda'u hamrywiaeth o swyddi.

Bodolai llacrwydd o ran rheolaeth y cwmni hefyd. Cynyddu wnâi'r dyledion ac awgrymir fod y rheolaeth yn or-barod i werthu nwyddau hyd yn oed pan nad oedd gobaith derbyn tâl amdanynt. Roedd llacrwydd yn amlwg hefyd ar ddisgyblaeth y gweithwyr ac awgrymir i gymaint o nwyddau gael eu cynhyrchu yn y dirgel ag a gynhyrchwyd yn swyddogol. Mae hanesion ar led yn y dref am weithwyr yn taflu llestri o'r 'potri' dros y wal i'w derbyn gan berthnasau benywaidd yr ochr arall â'u ffedogau ar led!

Oherwydd y wasgfa ariannol ni ellid prynu'r clai gorau o Gernyw a defnyddiwyd clai lleol o Fynyddygarreg nad oedd cystal i ddibenion y crochendy. Dirywio'n enbyd wnaeth ansawdd y llestri eu hunain ac ni ellid eu cymharu â llestri rhad ond safonol o ardaloedd eraill megis swydd Stafford a'r cyfandir. O weld y llestri a wnaethpwyd yn y blynyddoedd olaf yn Llanelli mae'n anodd credu y gellid gwerthu nwyddau o safon mor isel. Y canlyniad anochel oedd anhawster marchnata llestri Llanelli.

Canlyniad yr holl ffactorau uchod oedd tranc masnachol y crochendy. Taniwyd yr odyn am y tro olaf yn Llanelli yn 1922. Yn y casgliad ardderchog o lestri Llanelli sydd ym Mharc Howard mae bowlen fach a ddaeth o'r taniad olaf. Bu'r adeiladau ar eu traed nes eu dymchwel yn 1927 a daeth hyn â chyfnod hynod o ddiddorol i ben. Cyfnod hir yn llawn o hanes lleol ac o gynhyrchu llestri amrywiol tu hwnt.

Cyn dod â'r hanes i ben mae un enw a glywyd eisoes yn dod i'r amlwg. Enw'r Foneddiges Meriel Howard-Stepney yw hwnnw. Heb os, roedd y Foneddiges yn un o gymwynaswyr mwyaf Llanelli a chymerodd wir ddiddordeb yn y lle. Pan oedd sôn am ddymchwel adeiladau'r crochendy gofynnodd y Fonesig i Miss Anne M. Roberts o Borth Tywyn ymweld â'r safle. Anogodd hi i achub cymaint o offer y crochenwyr ac eitemau o ddiddordeb ag y gallai a gwnaeth yn siŵr fod ystafell yn Nhŷ Llanelli ar gael yn gartref i'r casgliad. Cartref dros dro a fyddai nes 'y delo'r amser y cymerai y dref ddiddordeb ynddo'. Bu Miss Roberts yn ufudd i'r gorchymyn a chasglodd bentwr o offer y gweithwyr ynghyd â llestri a theilchion llestri. Hanai'r trugareddau hyn o bob cyfnod yn hanes y crochendy. Mewn llythyr a ysgrifennodd i'r Fonesig ac a ddyfynnir yn *Llanelly Pottery* (Hughes a Pugh) rhestra'r hyn a ddarganfu. Ymhlith y rhestr mae tröell crochenydd; mowldiau patrwm yn cynnwys un â'r enw *'William Chambers, Junior, South Wales Pottery'*; pestlau a phaletau o'r ystafell addurno a llu o ddarnau arysgrifedig. Ni fu'r dref yn ofalus o'i chreiriau ac aeth y trysorau hyn ar goll.

Bu'r Fonesig yn fawr ei diddordeb yn y llestri ar hyd ei hoes ac yn 1938, cynigiwyd casgliad o 66 darn o lestri Llanelli iddi er mwyn eu hychwanegu at gasgliad y dref. Yr eitem gyntaf ar y rhestr (a welir yn *Llanelly Pottery*) yw *'1 Wesley figure bust marked Holland'*. Os yw hyn yn ffeithiol gywir mae'n ddiddorol i benddelw prin gael ei gynhyrchu yng nghyfnod Chambers a hefyd yn yr ail gyfnod yn amser W.T. Holland.

Er bod dyddiau cynhyrchu'r llestri ar ben, mae diddordeb a masnach ynddynt o hyd gyda llu o gasglwyr yn eiddgar i gyfoethogi eu casgliadau. Gyda'r amrywiaeth a gynhyrchwyd, mae llawer cornel fach i ymchwilio ynddi o amser William Chambers yr Ieuengaf i flynyddoedd Charles William Coombs a William Thomas Holland hyd at gyfnod David Guest a Richard Dewsberry.

Llyfryddiaeth a darllen pellach

Bebb, Lynne *Welsh Pottery*, Shire Publications, 1997.
Edwards, John *Llanelli: Hanes Tref*, Cyngor Sir Caerfyrddin, 2000.
Gibson, Michael *19th Century Lustreware*, Antique Collectors Club, 1999.
Hallesy, Helen L. *The Glamorgan Pottery. Swansea 1814-1839.* Gwasg Gomer, 1995.
Harper, Derek *Minerva*(Royal Institution South Wales) Cyfrol 3 1995
Hughes, Gareth and Pugh, Robert *Llanelly Pottery*, Llanelli Borough Council, 1990.
Jenkins, Dilys *Llanelly Pottery*, DEB Books, Abertawe, 1968.
Jones, Howard M. *Llanelli Lives*, Gwasg y Draenog, 2000.
Jones, Iorwerth *David Rees y Cynhyrfwr*, Gwasg John Penry. Abertawe. 1971
Jones, Philip Llywellyn *Y Casglwr*, Cymdeithas Bob Owen, Rhifau 71 a 72, 2001.
Kelly, Henry E. *Scottish Sponge Printed Pottery*, Lomonside Press, Glasgow, 1993.
Kelly, Henry E. and Kowalsky, *Arnold A. and Dorothy. Spongeware 1835-1935*,
                            Schiffer, 2001
Nance, E. Morton *The Pottery and Porcelain of Swansea and Nantgarw*,
                            B. T. Batsford, Llundain, 1942.
Pugh, Robert *Welsh Pottery*, Towy Publishing, Caerfaddon, 1995.
Reed, Clive *Port Talbot Historian* Cyf IV, Rhif 2, 2000.